The Big Guitar Chord Songbook Reggae

Wise Publications
London/New York/Paris/Sydney/Copenhagen/Berlin/Madrid/Tokyo

Published by:
Wise Publications
14-15 Berners Street, London, W1T 3LJ, UK.

Exclusive distributors:
Music Sales Limited
Distribution Centre, Newmarket Road, Bury St Edmunds, Suffolk, IP33 3YB, UK.
Music Sales Pty Limited
120 Rothschild Avenue, Rosebery, NSW 2018, Australia.

Order No. AM986535
ISBN: 978-1-84609-674-7

Edited by Tom Farncombe.
Music arranged by Matt Cowe, Arthur Dick and Dave Weston.
Music processed by Paul Ewers Music Design.
Compiled by Nick Crispin.

Printed in the EU.

www.musicsales.com

007 (Shanty Town)

Words & Music by
Desmond Dacres & Leslie Kong

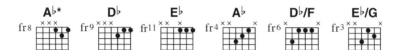

Tune guitar slightly sharp

riff 1

Intro | A♭* | D♭ E♭ | A♭ | D♭ E♭ ‖

Verse 1

A♭ D♭/F E♭/G A♭ D♭/F E♭/G   A♭
007,   007,   at ocean 11.

D♭/F   E♭/G   A♭   D♭/F   E♭/G   A♭
   An' rude boy a go wail, 'cos dem out of jail.

D♭/F   E♭/G   A♭ D♭/F   E♭/G   w/riff 1
   Rude boys cannot fail,   'cos dem won't get bail.

w/riff 1 *(x4)*
Dem aloot dem a shoot dem a wail. A shanty town.

Dem aloot dem a shoot dem a wail. A shanty town.

Dem rude boy depon probation. A shanty town.

Dem rude boy a boom up de town. A shanty town.

Link 1   ‖: A♭ | D♭/F E♭/G | A♭ | D♭/F E♭/G :‖
w/riff 1 *(x4)*

Verse 2

    A♭ **D♭/F** **E♭/G** **A♭** **D♭/F** **E♭/G**   **A♭**
007,   007,   at ocean 11.

D♭/F   **E♭/G**   **A♭**   **D♭/F**   **E♭/G**   **A♭**
An rude boy a go wail, 'cos dem out of jail.

D♭/F   **E♭/G**   **A♭** **D♭/F**   **A♭** | **D♭/F** **E♭/G** |
Rude boys cannot fail, 'cos dem won't get bail.

A♭   **D♭/F** **E♭/G**
Dem a - loot dem a shoot dem a wail. A shanty town.

A♭   **D♭/F** **E♭/G**
Dem a - loot dem a shoot dem a wail. A shanty town.

A♭   **D♭/F** **E♭/G**
Dem rude boy depon probation. A shanty town.

A♭   **D♭/F** **E♭/G**
Dem rude boy a boom up de town. A shanty town.

A♭   **D♭/F**   **E♭/G**
Policeman caught them. A shanty town.

A♭   **D♭/F**   **E♭/G**
Soldier gets longer. A shanty town.

A♭   **D♭/F** **E♭/G**
Dem a - loot dem a weep dem a wail. A shanty town. *To fade*

Amigo

Words & Music by
Elroy Bailey, Anthony Brightly, Desmond Mahoney & Rupert Hanson

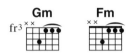

Intro ‖: Gm | Gm | Fm | Fm :‖

Chorus 1
Gm   Fm
A - migo, amigo, amigo, ooh.

Gm   Fm
A - migo, amigo, amigo, ooh.

Gm   Fm
A - migo, 'migo, 'migo, 'migo, ooh.——

Gm   Fm
A - migo, 'migo, 'migo, 'migo, ooh.——

Verse 1
Gm   Fm
Jah, lover, another mis - lead you on,

       Gm
Shoop, shoop, wah - ooh - ah.——

      Fm
Another, another mis - treat you wrong,

       Gm
Shoop, shoop, wah - ooh - ah.——

      Fm
Leave it to Jah and he will guide you on,

       Gm
Shoop, shoop, wah - ooh - ah.——

        Fm
Just have faith, he'll show you the way to go.

Chorus 2
 Gm   Fm
A - migo, amigo, amigo, ooh.

 Gm   Fm
A - migo, amigo, amigo, ooh.

Verse 2
Gm   Fm
Jah, lover, another mis - lead you on,

      Gm
Shoop, shoop, wah - ooh - ah.——

     Fm
Another, another de - sert you on,

      Gm
Shoop, shoop, wah - ooh - ah.——

	Fm
cont.	Just have faith and Jah will guide you on,
	Gm
	Shoop, shoop, wah - ooh - ah.——
	Fm
	Leave it to Jah, he'll be your chaperone.

        Gm   **Fm**

Chorus 3   Jah lover, Jah lover,   Jah lover, ooh.

        Gm   **Fm**

Jah lover, Jah lover,   Jah lover, ooh.

        Gm   **Fm N.C.**

A - migo, 'migo, 'migo, 'migo, ooh.

        Gm   **Fm N.C.**

A - migo, 'migo, 'migo, 'migo, ooh.

Solo   ‖: Gm | Gm | Fm | Fm   :‖

        | Gm | Fm N.C. | Gm | Fm N.C. ‖

Chorus 4   As Chorus 1

        Gm   **Fm**

Verse 3   Jah, lover, another mis - lead you on,

                            Gm

Shoop, shoop, wah - ooh - ah.——

                    Fm

Another, another de - sert you on,

                            Gm

Shoop, shoop, wah - ooh - ah.——

                    Fm

Leave it to Jah and he will guide you home,

                            Gm

Shoop, shoop, wah - ooh - ah.——

                          Fm

Just have faith, he'll be your chaperone.

Chorus 4   As Chorus 2

        Gm   **Fm**

Outro   Jah, lover, another mis - lead you on,

                            Gm

Shoop, shoop, wah - ooh - ah.——

                    Fm

Another, another de - sert you on,

                            Gm

Shoop, shoop, wah - ooh - ah.—— *To fade*

54-46 Was My Number

Words & Music by
Frederick 'Toots' Hibbert

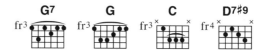

Intro

                 G⁷ N.C
Stick it up mister.

                       G⁷ N.C
Hear what I say sir yeah,   yeah no, no, no, no, yeah.

                   G⁷ N.C
Let your hands in the air sir.   Woo, yeah.

And you will get no hurt mister no, no, no.

Verse 1

   G w/riff 1 *x15*   **C**
I said yeah,   (I said yeah)

   G   **C**
What I say.   (what I say)

                G   **C**
Don't you hear I said yeah, (yeah yeah)

            G   **C**
Listen what I say (what I say).

          G   **C**
Do you believe I would take something with me

   G   **C**
And give it to the police man?

           G   **C**
I wouldn't do that.

           G   **C**   **G**   **C**
And if I'd do that, I would say sir 'Go on and put the charge on me.'

          G C   **G C**
I wouldn't do that, no I wouldn't do that.

          G   **C**   **G**
I'm not a fool to hurt my - self so I was inno - cent of what they done to

          G   **C**   **G**   **C**
They was wrong, I say it one more time, they were wrong. Oh yeah!

Bridge 1

      G   **C N.C**
Give it to me one time.

          C C N.C
Give it to me two times.

           C C C N.C
Give it to me three times.

           C C C C
Give it to me four times.

Chorus 1

G w/riff 1*(x8)* **G**   **C**
54 – 46 was my number,

     G   **C**   **G**   **C**
Right now someone else has that number, one more time.

G   **C**   **G**   **C**
54 – 46 was my number, was my number,

     G   **C**   **G**   **C**
Right now someone else has that number, oh yeah.

Verse 2

      G w/riff 1*(x4)* **C**
I said yeah, (I said yeah)

        G   **C**
Listen what I say, (listen what I say)

         G   **C**
Don't you hear I said yeah, (yeah, yeah)

        G   **C**
Listen what I say, (what I say).

Link 1

‖: **G**   │ **C**   :‖ *Play 7 times w/vocal ad libs.*
w/riff 1*(x7)*

Bridge 2

G   **C N.C**
Give it to me one time.

          C C N.C
Give it to me two times.

D7♯9
Gimmie, gimmie, gimmie, gimmie, gimmie, gimmie,

Gimmie, gimmie, gimmie, no, no, no, no.

Link 2

‖: **G**   │ **C**   :‖ *Play 7 times w/vocal ad libs.*
w/riff 1*(x10)*

Chorus 2

G w/riff 1*(x4)* **G**   **C**
54 – 46 was my number, oh yeah.

     G   **C**   **G**
Right now someone else has that number… *To fade*

Al Capone

Words & Music by
Cecil Campbell

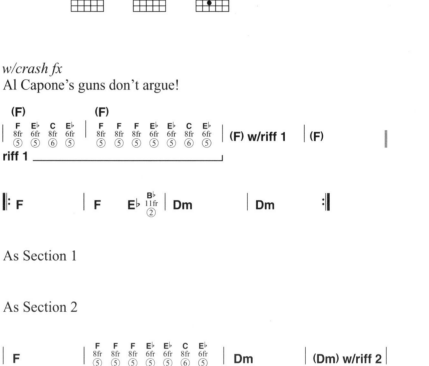

Intro
spoken:

w/crash fx
Al Capone's guns don't argue!

Section 1

riff 1 _____

Section 2

‖: F | F   E♭ B♭(11fr)② | Dm | Dm :‖

Section 3

As Section 1

Section 4

As Section 2

Solo

| F | F ... riff 2 ... | Dm | (Dm) w/riff 2 |

riff 2 _____

| (F) w/riff 1 | (F) | (F) w/riff 1 | (F) | |

| F | (F) w/riff 2 | Dm | (Dm) w/riff 2 |

| F | (F) w/riff 2 | Dm | (Dm) w/riff 2 |

Don't call me Scarface.   My name is Capone

| (F) w/riff 1 | (F) w/riff 2 | (F) w/riff 1 | (F) | |

C. A. P. O. N. E.   Capone.

| F | (F) w/riff 2 | Dm | (Dm) w/riff 2 |

| F | (F) w/riff 2 | Dm | (Dm) w/riff 2 ‖

Al   Capone.

Section 5 | F | (F) w/riff 2 | Dm | (Dm) w/riff 2 |

| F | (F) w/riff 2 | Dm | (Dm) w/riff 2 ‖

Section 6 As Section 1 *w/vocal ad lib.*

Section 7 As Section 1

Outro ‖: F | F E♭ $^{B♭}_{11fr}$ ② | Dm | Dm |

My name is Capone.

| F | F E♭ $^{B♭}_{11fr}$ ② | Dm | Dm :‖

Al Capone.

Repeat to fade

Big Seven

Words & Music by
Edward Lee, Edward Lemon & Alex Hughes

F♯   G♯m   C♯7

Intro

| F♯ | G♯m | F♯ | G♯m |
All rise.   Get ready.
| F♯ | G♯m | F♯ | C♯7 ‖
You're in heaven when you   hear big seven.

Verse 1

F♯   G♯m   F♯   G♯m
Hey hey di-di-dum day high high higher.
F♯   G♯m   F♯   G♯m
Hey hey di-di-dum day high high higher.
F♯   G♯m   F♯   G♯m
Mary had a little pig, she could not stop it grunting,
F♯   G♯m   F♯   G♯m
She took it up the garden path, and she kicked its little rump in.

Verse 2

F♯   G♯m   F♯   G♯m
Hey hey di-di-dum day high high higher.
F♯   G♯m   F♯   G♯m
Hey hey di-di-dum day high high higher.
F♯   G♯m   F♯   G♯m
Jack and Jill went up a hill, to fetch a roll of cheese,
F♯   G♯m   F♯   G♯m
Jack came down with a beaming smile, and his trousers 'round his knees

Verse 3

F♯   G♯m   F♯   G♯m
Hey hey di-di-dum day high high high-er.
F♯   G♯m   F♯   G♯m
Hey hey di-di-dum day high high high-er.
F♯   G♯m   F♯   G♯m
Little Jack Horner sat in the corner, with a dirty look in his eye,
F♯   G♯m   F♯   G♯
He never looked at the pretty girls, but he smiled when the boys went by

Verse 4

F♯   G♯m   F♯   G♯m
Hey hey di-di-dum day high high high-er.
F♯   G♯m   F♯   G♯m
Hey hey di-di-dum day high high high-er.

cont.

F♯   G♯m   F♯   G♯m

To love all night and sleep all day, was really my desire,

F♯   G♯m

I tried it once but it wouldn't work out,

F♯   G♯m   F♯

Because the pussy catch - a fire.

Verse 5

F♯   G♯m   F♯   G♯m

Hey hey di-di-dum day high high higher.

F♯   G♯m   F♯   G♯m

Hey hey di-di-dum day high high higher.

F♯   G♯m

Old Mother Hubbard went to the cupboard,

    F♯   G♯m

To get the poor doggy a bone,

F♯   G♯m

But when she bent down, the dog came around

     F♯   G♯m

And gave her a bone of his own.

Verse 6

F♯   G♯m   F♯   G♯m

Hey hey di-di-dum day high high higher.

F♯   G♯m   F♯   G♯m

Hey hey di-di-dum day high high higher.

F♯   G♯m   F♯   G♯m

Jack was nimble, Jack was quick, Jack jumped over the candlestick,

F♯   G♯m

Silly boy, he should have jumped higher,

F♯   G♯m

Goodness gracious great balls of fire.

Verse 7

F♯   G♯m   F♯   G♯m

Hey hey di-di-dum day high high higher.

F♯   G♯m   F♯   G♯m

Hey hey di-di-dum day high high higher.

F♯   G♯m   F♯   G♯m

Judge Dread laid on a double bed, with a girl performing great,

F♯   G♯m

He said 'would you like big seven now?',

      F♯   G♯m

She said 'no but I'll have big eight.'

Outro

F♯   G♯m   F♯ G♯m   F♯ G♯m

Hey hey, di-di-dum day.   Di-di-dum day.   Di-di-dum day.

F♯   G♯m F♯ G♯m F♯ G♯m F♯

Ooh.   Ahh.   Ooh.   Bye. *To fade*

Black And White

Words by David Arkin
Music by Earl Robinson

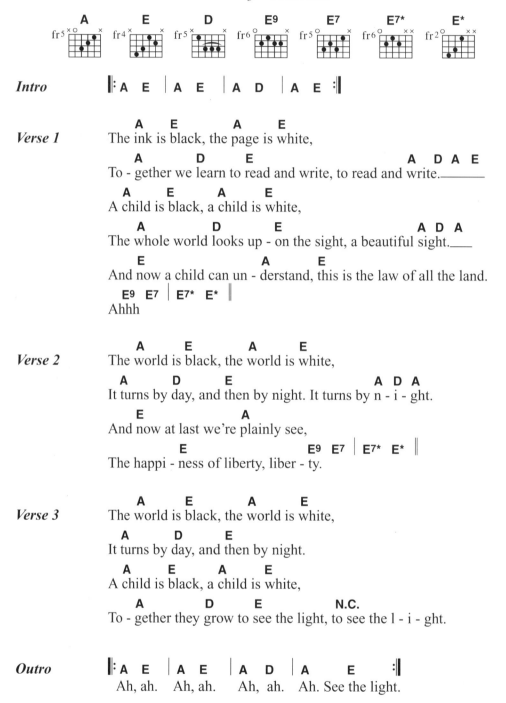

Intro

‖: A E | A E | A D | A E :‖

Verse 1

```
      A    E      A   E
The ink is black, the page is white,
      A       D       E                          A  D A E
To - gether we learn to read and write, to read and write._____
      A    E       A      E
A child is black, a child is white,
      A      D        E                    A D A
The whole world looks up - on the sight, a beautiful sight.___
           E                 A        E
And now a child can un - derstand, this is the law of all the land.
     E9  E7  | E7*  E*  ‖
Ahhh
```

Verse 2

```
      A     E      A     E
The world is black, the world is white,
    A      D     E                    A D A
It turns by day, and then by night. It turns by n - i - ght.
       E                A
And now at last we're plainly see,
          E                   E9  E7  | E7*  E*  ‖
The happi - ness of liberty, liber - ty.
```

Verse 3

```
      A     E      A      E
The world is black, the world is white,
    A      D     E
It turns by day, and then by night.
      A    E       A     E
A child is black, a child is white,
      A      D        E            N.C.
To - gether they grow to see the light, to see the l - i - ght.
```

Outro

‖: A E | A E | A D | A   E   :‖
Ah, ah. Ah, ah.   Ah, ah. Ah. See the light.

Repeat to fade w/vocal ad lib. through

Breathe (In The Air)

Words & Music by
David Gilmour, Roger Waters & Richard Wright

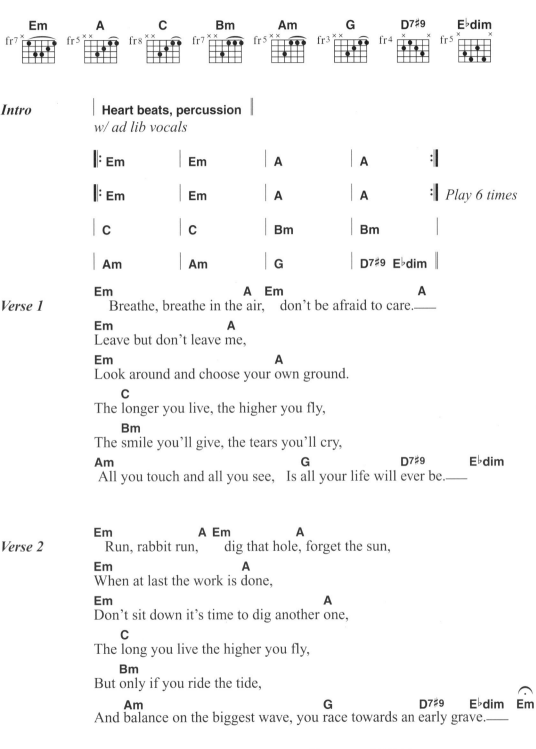

Intro

| Heart beats, percussion ||
w/ ad lib vocals

|: Em | Em | A | A :|

|: Em | Em | A | A :| *Play 6 times*

| C | C | Bm | Bm |

| Am | Am | G | D7♯9 E♭dim ||

Verse 1

    Em   A Em   A
    Breathe, breathe in the air,   don't be afraid to care.——

Em   A
Leave but don't leave me,

Em   A
Look around and choose your own ground.

       C
The longer you live, the higher you fly,

      Bm
The smile you'll give, the tears you'll cry,

Am   G   D7♯9   E♭dim
 All you touch and all you see, Is all your life will ever be.——

Verse 2

    Em   A Em   A
    Run, rabbit run,   dig that hole, forget the sun,

Em   A
When at last the work is done,

Em   A
Don't sit down it's time to dig another one,

       C
The long you live the higher you fly,

      Bm
But only if you ride the tide,

     Am   G   D7♯9   E♭dim Em
And balance on the biggest wave, you race towards an early grave.——

Black Pearl

Words & Music by
Irwin Levine, Phil Spector & Toni Wine

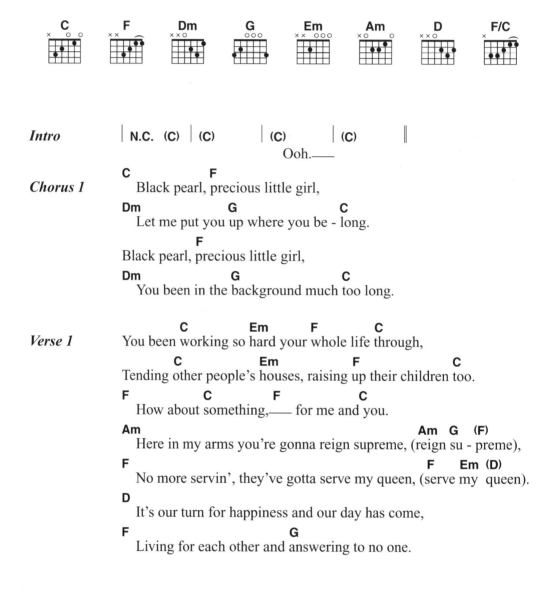

Intro | N.C. (C) | (C) | (C) | (C) ||

Ooh.——

Chorus 1

C   F
Black pearl, precious little girl,
Dm   G   C
Let me put you up where you be - long.

                    F
Black pearl, precious little girl,
Dm   G   C
You been in the background much too long.

Verse 1

            C   Em   F   C
You been working so hard your whole life through,
            C   Em   F   C
Tending other people's houses, raising up their children too.
F   C   F   C
How about something,—— for me and you.
Am   Am   G   (F)
Here in my arms you're gonna reign supreme, (reign su - preme),
F   F   Em (D)
No more servin', they've gotta serve my queen, (serve my queen).
D
It's our turn for happiness and our day has come,
F   G
Living for each other and answering to no one.

Chorus 2   As Chorus 1

Verse 2

          C   Em   F   C
To - gether we stand so brave and so tall,

          C   Em   F   C
Cre - ated by love to love one and all.

F   C   F   C
   Heart to heart and soul to soul,

Am   Am G   (F)
   No other one could ever take your place, (take your place),

F   F (Em) (D)
   My world is built around every smile that's on your face, (on your face),

D
   You'll never win a beauty show, no they won't need you,

    F   G
But you're my mind is phenomenal and I love you.

Chorus 3

C   F
   Black pearl, precious little girl,

Dm   G   C
   Let me put you up where you be - long, 'cos I love you.

          F
Black pearl, precious little girl,

Dm   G   C
   You been in the background much too long.

Link | C F/C | C | C F/C | C ||
                                            Ooh.——

Outro
       C   F
‖: Black pearl, precious little girl,

Dm   G   C
   You been in the background much too long.

          F
Black pearl, precious little girl,

Dm   G   C
   Let me put you up where you be - long, 'cos I love you. :‖

                                     Repeat to fade

Buffalo Soldier

Words & Music by
Bob Marley & Noel Williams

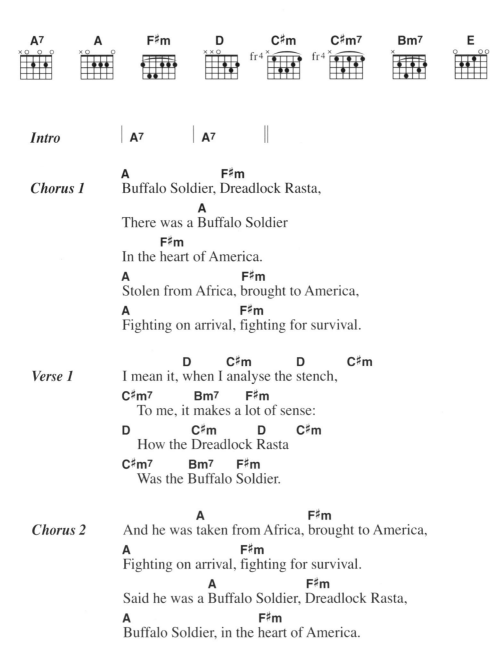

Intro | A7 | A7 ||

Chorus 1

A   F♯m
Buffalo Soldier, Dreadlock Rasta,

     A
There was a Buffalo Soldier

   F♯m
In the heart of America.

A   F♯m
Stolen from Africa, brought to America,

A   F♯m
Fighting on arrival, fighting for survival.

Verse 1

     D C♯m   D   C♯m
I mean it, when I analyse the stench,

C♯m7   Bm7   F♯m
 To me, it makes a lot of sense:

D   C♯m   D C♯m
 How the Dreadlock Rasta

C♯m7   Bm7   F♯m
 Was the Buffalo Soldier.

Chorus 2

      A   F♯m
And he was taken from Africa, brought to America,

A   F♯m
Fighting on arrival, fighting for survival.

      A   F♯m
Said he was a Buffalo Soldier, Dreadlock Rasta,

A   F♯m
Buffalo Soldier, in the heart of America.

Verse 2

D   C♯m   D   C♯m
If you know your history
C♯m7   Bm7   F♯m
Then you would know where you coming from,
D   C♯m   D   C♯m
Then you wouldn't have to ask me __
C♯m7   Bm7   F♯m
Who the heck do I think I am?

Chorus 3

                  A
I'm just a Buffalo Soldier
      F♯m
In the heart of America,
A   F♯m
Stolen from Africa, brought to America.
            A
Said he was fighting on arrival,
F♯m
Fighting for survival,
             A
Said he was a Buffalo Soldier,
      F♯m
Win the war for America.

Link 1

            A
Said he, woe yoe yoe, woe woe yoe yoe,
F♯m   A
Woe yoe yoe yo, yo yo yo yo.

Woe yoe yoe, woe woe yoe yoe,
F♯m   A
Woe yoe yoe yo, yo yo yo yo.

Bridge

F♯m
Buffalo Soldier,
                 D   C♯m
Trodding through the land,
            F♯m
Said he wanna ran,

Then you wanna hand,
                 D   C♯m E
Trodding through the land, yea, yea.

Chorus 4

    (E)   **A**
Said he was a Buffalo Soldier

        F♯m
Win the war for America.

A   **F♯m**
Buffalo Soldier, Dreadlock Rasta,

A   **F♯m**
Fighting on arrival, fighting for survival,

A
Driven from the mainland

        F♯m
To the heart of the Caribbean.

Link 2

           A
Singing, woe yoe yoe, woe woe yoe yoe,

F♯m   **A**
Woe yoe yoe yo, yo yo yo yo.

Woe yoe yoe, woe woe yoe yoe,

F♯m   **A**
Woe yoe yoe yo, yo yo yo yo.

Chorus 5

A
Trodding through San Juan

        F♯m
In the arms of America.

A   **F♯m**
Trodding through Jamaica, a Buffalo Soldier

A   **F♯m**
Fighting on arrival, fighting for survival.

A   **F♯m**
Buffalo Soldier, Dreadlock Rasta.

Coda

A
Woe yoe yoe, woe woe yoe yoe,

F♯m   **A**
Woe yoe yoe yo, yo yo yo yo.

Woe yoe yoe, woe woe yoe yoe,

F♯m   **A**
Woe yoe yoe yo, yo yo yo yo.

Chatty Chatty Mouth

Words & Music by
Albert Griffiths

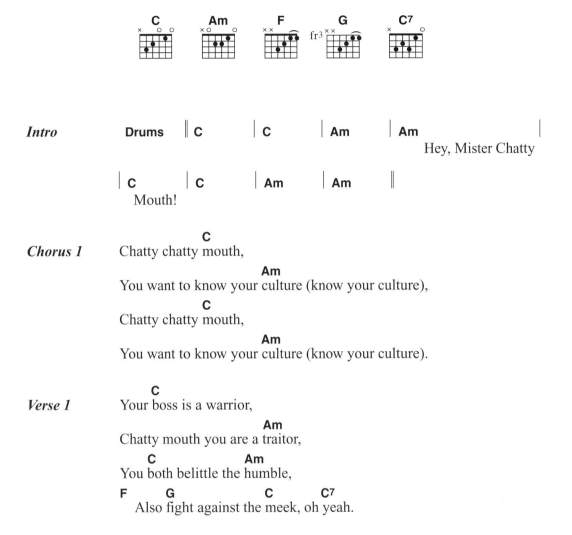

Intro   Drums   ‖ C | C | Am | Am |

Hey, Mister Chatty

| C | C | Am | Am   ‖

Mouth!

Chorus 1
         C
Chatty chatty mouth,
                       Am
You want to know your culture (know your culture),
         C
Chatty chatty mouth,
                       Am
You want to know your culture (know your culture).

Verse 1
         C
Your boss is a warrior,
               Am
Chatty mouth you are a traitor,
     C   **Am**
You both belittle the humble,
F   **G**   **C**   **C7**
   Also fight against the meek, oh yeah.

Pre-chorus 1
     F   **G**
But I and I and I,

     F   **G**
By the power of Jah-I,

     F   **G**
We shall over - come,

         C   **G**
One fine day.————

Chorus 2
             C
Chatty chatty mouth,

                  Am
Be wise and know your culture (know your culture),

             C
Chatty chatty mouth,

                  Am
Be wise and know your culture (know your culture).

Verse 2
        C
Your boss shall be lost,

                   Am
And you chatty mouth you get a blow.

      C
Re - member Jah say,

        F   **G**   **C** | **C** | **C** | **C**
"The humble of the meek they shall pre - vail." Oh yeah.

Am   **C**
  You mister chatty mouth,

     Am
You'll get a blow.

          C | **C** | **Am** | **Am** |
If you won't hear!

| **C** | **C** | **Am** | **Am**   ‖

```
                        F              G
Pre-chorus 2   So I and I and I
               F              G
               By the power of Jah-i
               F              G
               We shall over - come
                        C    G
               One fine day._____
```

Chorus 3   As Chorus 2

```
                   C
Verse 3        You and your boss shall be lost
                        Am
               If you won't hear
                        C         Am
               You will get a blow, hey____
                        C
               You shall be weighed in the balance
                        Am
               And found wanting (found wanting)
                        C
               You then you run into Jah saying
                        Am
               "It isn't who have done so and so"
                        C                       Am
               But Jah shall say "depart from I, I know you not"

               And won't you hear me.
```

```
                              C
Outro chorus   ‖: Chatty chatty mouth
                              Am
               Be wise and know your culture :‖   Repeat to fade
```

Cherry Oh Baby

Words & Music by
Eric Donaldson

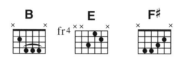

B   E   F♯

Intro | Drums ‖: B | E   B | B | F♯   B :‖

Verse 1

```
B                      E        B
Oh Cherry oh, Cherry oh, ba - by,
                          F♯        B
Don't you know I'm in need of thee?
                    E        B
If you don't be - lieve it's true,
                      F♯       B
What have you left me to do?
                    E        B
So long I've been wait - ing,
            F♯            B
For you to come right in.
                      E          B
And now that we are toge - ther,
                    F♯          B
Please make my joy come over.
```

Chorus 1

```
B        E   B   F♯ B
Oh,_____
(B)      E    B  F♯ B | B        | E   B   |
Oh,_____
B        | F♯      | B       | E   B   |
Ye - ah.
B   F♯   | F♯  B   ‖
Ye - ah.
```

Verse 2

    B   E   B
Oh Cherry, oh, Cherry, oh, ba - by,
                    F♯   B
Can't you see I'm in love with you?
              E   B
If you don't be - lieve I do,
                F♯   B
Then why don't you try me?
              E   B
I'm never gonna let you down,
                  F♯   B
I will never make you wear no frown.
              E   B
If you say you love me mad - ly,
                F♯   B
Of babe I will ac - cept you glad - ly.

Chorus 2   As Chorus 1

Link 1   As Intro

Verse 3

    B   E   B
Oh Cherry, oh, Cherry, oh, baby,
                    F♯   B
Can't you see I'm in love with you?
              E   B
If you don't be - lieve I do,
                F♯   B
Then why don't you try me?
              E   B
I will never let you down,
                F♯   B
I will never make you wear no frown.
              E   B
If you say that you love me mad - ly,
                F♯   B
Oh babe I will treat me bad - ly.

Outro   ‖: B | E B | B | F♯ B :‖ *Repeat to fade*
                         Y - e - a - h.

Cocaine In My Brain

Words & Music by
Lester Bullock

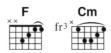

F

Verse 1

F
　　　Hey Jim, Jim, just a minute y'all,

I want you to spell for me somethin',

I want you to spell for me New York, man.

Cm
　　　Why do you want me to spell you New York, man?

I just want you to spell for me New York, and you couldn't man,

Sure man, I can spell New York,

Well go ahead, man.

N-E-W Y-O-R-K, that's New York man.

No man, you've made a mistake, man,

I'm gonna teach you the right way,

And the proper way to spell New York, man.

Well, go ahead, man.

Pre-chorus 1　　A knife, a fork, a bottle and a cork,

F
That's the way we spell New York, man.

You see no matter where I treat my guests,

They always like my kitchen best.

Chorus 1
         Cm
'Cos I've cocaine runnin' around my brain,

I've cocaine runnin' around my brain.

I want you to dig me soul brother and soul sisters,

I want you to hold me tight because I'm outta sight and I'm a dynamite.

I've got cocaine runnin' around my brain,

I've got cocaine runnin' around my brain.

Man, oh man, I'm gotta be on the run,

Because I've got to meet the setting sun.

I've gotta a whole lot, whole lot of cocaine,

Just runnin' around my brain, I've got cocaine.

Verse 2
         F
  Hey Jim, Jim, just a minute y'all,

I want you to spell for me somethin' Jim.

I want you to spell for me New York.
      Cm
A knife, a fork, a bottle and a cork.

That's the way we spell New York,

A knife, a fork, a bottle and a cork,

That's the way we spell New York.

Right on, ooh, right on,

Right on, ooh, right on.

Pre-chorus 2   Whatever time I walk in the rain,

Man, oh man, it make me feel a burning pain,

Keep on burning in my bloody brain.

Chorus 2   I've cocaine runnin' around my brain,

I've cocaine runnin' around my brain.

F

Verse 3   No matter where I treat my guest,

They always like my kitchen best.

          Cm
Be - cause I've gotta whole lot of cocaine,

Just runnin' around my brain.

        Cm
Pre-chorus 3 A knife, a fork, a bottle and a cork,

That's the way we spell New York.

A knife, a fork, a bottle and a cork,

That's the way we spell New York.

Right on, right on,

Right on, right on.

          Cm
Chorus 3 I've got cocaine, cocaine, cocaine, cocaine,

Cocaine, cocaine running around my brain.

F

Verse 4   I want you to dig me soul brother and soul sisters,

I want you to hold me tight because I'm outta sight and I'm a dynam

Chorus 4

    Cm

I've got cocaine runnin' around my brain,

I've got cocaine runnin' around my brain,

I've got cocaine runnin' around my brain.

Bridge

    Cm

Hey Jim, Jim, just a minute,

Just a minute, just a minute,

Just a minute, just a minute, cocaine,

Lord it's cocaine, yeah it's cocaine.

Ah, I want cocaine, ah yeah I want cocaine,

Aah, it's cocaine and it's cocaine,

It a runnin' around my brain, runnin' around my brain.

| **Cm** | **Cm** | |

Cocaine, cocaine,

Cocaine, yeah.

Verse 5

    F

Man, oh man, I've gotta be on the run,

Because I've got to meet that setting sun.

Outro

    Cm

And I've gotta whole lot of cocaine that's runnin' around my brain,

Got cocaine, cocaine,

Cocaine, cocaine, cocaine... *To fade w/vocal ad lib.*

Cry Tough

Words & Music by
Alton Ellis, Winston Jarrett & Edgar Gordon

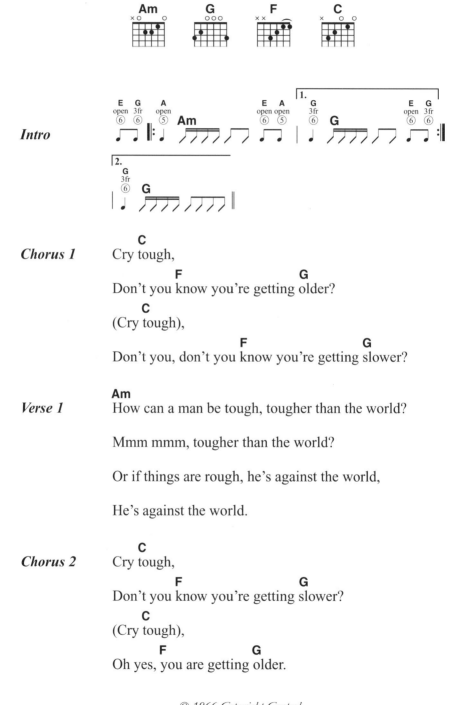

Chorus 1

C
Cry tough,

     F   G
Don't you know you're getting older?

  C
(Cry tough),

         F   G
Don't you, don't you know you're getting slower?

Verse 1

Am
How can a man be tough, tougher than the world?

Mmm mmm, tougher than the world?

Or if things are rough, he's against the world,

He's against the world.

Chorus 2

  C
Cry tough,

     F   G
Don't you know you're getting slower?

  C
(Cry tough),

    F   G
Oh yes, you are getting older.

Verse 2

Am
How can a man be tough, tougher than the world?

Tougher than the world?

Or if things are rough, he's against the world,

He's against the world.

Chorus 3   As Chorus 2

Link | Am | Am | Am | Am   ‖

Chorus 4   As Chorus 2

Verse 3   As Verse 2

Chorus 5   As Chorus 2

Outro
‖:   **Am**
How can a man be tough,

Tougher than the world? :‖ *Repeat to fade*

Dancing On The Floor
(Hooked On Love)

Words & Music by
Bunny Clarke

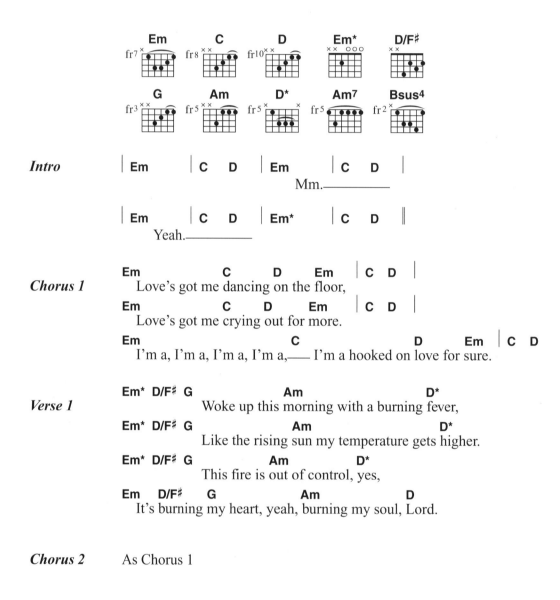

Intro | Em | C D | Em | C D |

Mm.————

| Em | C D | Em* | C D ‖

Yeah.————

Chorus 1

Em   C   D   Em | C D |
  Love's got me dancing on the floor,

Em   C   D   Em | C D |
  Love's got me crying out for more.

Em   C   D   Em | C D
  I'm a, I'm a, I'm a, I'm a,—— I'm a hooked on love for sure.

Verse 1

Em* D/F♯ G   Am   D*
  Woke up this morning with a burning fever,

Em* D/F♯ G   Am   D*
  Like the rising sun my temperature gets higher.

Em* D/F♯ G   Am   D*
  This fire is out of control, yes,

Em D/F♯   G   Am   D
  It's burning my heart, yeah, burning my soul, Lord.

Chorus 2   As Chorus 1

Verse 2

Em* D/F♯ G   Am   D
     Hey, sister, why do you look so con - fused?

Em* D/F♯ G   Am   D
     Sometimes you win, sometimes you lose,

Em* D/F♯ G Am   D
     It's a life you've got to get used to,

Em* D/F♯ G   Am   D   (Em)
     Don't give up now, love is at your res - cue, come on.

Chorus 3

Em   C   D Em | C D |
  Love's got me dancing on the floor,

Em   C   D Em | C D |
  Love's got me crying out for more.

Em   C   D
  I'm a, I'm a, I'm a, I'm a⸺ I'm a hooked on love,

Em   C   D
  I'm a, I'm a, I'm a, I'm a⸺ I'm a hooked on love,

Em   C   D Em | C D ‖
  I'm a, I'm a, I'm a, I'm a⸺ I'm a hooked on love for sure.

Bridge

Am⁷
Sweet love, sweet love is rising,

Ooh, so surprising.

Higher than the cost of living,

 Bsus⁴
So you, you, you, you and you.

  N.C.
Oh you better start giving your...

33

Chorus 4

```
Em                    C      D        Em
L-l-l-l-l-l-l-love, yeah,—— love's got me, oh.——
                 C     D    Em
Love's got me crying out for more.
         C  D
Oh—— ba ba ba bong.
Em                        C                D
  I'm a, I'm a, I'm a, I'm a—— I'm a hooked on love,
Em                        C
  I'm a, I'm a, I'm a, I'm a—— I'm a hooked on love,
Em                        C                D
  I'm a, I'm a, I'm a, I'm a—— hooked on your sweet, sweet love,
    Em       C                D          (Em)
For sure, yes, ba ba ba ba ba your sweet, sweet love.
```

Solo

```
‖: Em    | C  D | Em    | C  D :‖
```

Verse 3

```
Em*  D/F♯  G                  Am                D
                There's no telling what sweet love can do,
Em*  D/F♯  G                  Am                D
                It can make your wildest dreams come true, yes.
Em*  D/F♯  G        Am              D
                Love it ain't no fantasy,——
Em*          D/F♯   G           C          D
  Can't you see that love is such a sweet reali - ty, yeah.
```

Chorus 5

```
Em              C     D     Em          C D
  Love's got me dancing on the floor, yeah—— on ba, ba, bong,
Em              C     D     Em    C D
  Love's got me crying out for more, oh—— ba, ba, ba, bong,
Em                        C                D
  I'm a, I'm a, I'm a, I'm a—— I'm a hooked on love,
                          C                D
  I'm a, I'm a, I'm a, I'm a—— I'm a hooked on love,
                          C
  I'm a, I'm a, I'm a, I'm a,——
                          D                Em
I'm a hooked on  your sweet, sweet love for sure,
      C              D
Yeah, ba bong bong bong b - don't stop.
```

```
                    ┌1-3.              ┌┌4.
‖: Em*  D/F♯  G  N.C. | N.C.          :‖ N.C.
                                        Yes,
```

Link

34

Verse 4

```
      Em              C           D
      All the things love wants me to do, girl,
      Em              C           D
        All the things love wants me to say, yes.
      Em                    C           D       Em
        I've got to find some - one to tell them right a - way, yeah,
      C    D
      Ooh, ba, ba, bong bong.
      Em          C        D
        (Love got), when my bass man play,
      Em          C        D
        (Love got), when my congas say,
      Em          C        D
        (Love got), when my organ play,
      Em                        C
        (Love got), listen to me drummy, drummy, drummy, drummy,
                      D
      Drummy, drummy what do you say?
```

Outro chorus

```
      Em* D/F♯ G            C           D               Em* D/F♯ G
               Love's got me, love's got me dancing all over the floor,      yeah,
      C              D
      B - b - bong bong, b - b - b - bong bong.
      Em* D/F♯ G          C    D    Em* D/F♯ G
               Love's got me crying out for more,      yeah,
      C              D
      B - bong bong, b - b - bong bong I'm-a.
```

```
     Em                    C
  ‖:   I'm-a, I'm-a, I'm-a, I'm-a,——
                        D
     I'm-a hooked on your sweet, sweet love,
     Em                   C                 D
     I'm-a, I'm-a, I'm-a, I'm-a,—— I'm-a hooked on sweet, sweet love. :‖
```
                                        Repeat ad lib. to fade

Dat

Words & Music by
Pluto Shervington

Intro | Drums | G | A | D | C* Bm Am D ‖

Verse 1
      G   G♯   A
Rasta Ozzy from up de hill,
            C   G
De - cide fi check 'pon 'im grocery bill.
                              A
An' when him add up de t'ings him need,
                  C   G
De dunny done wha' him save fi buy likkle weed.
                        D   C   G
Him han 'pon him jaw, Lord. Red him eye an' just meditate.
                        D   C   G
The time is so hard Lord, I man now t'ink 'bout emigrate.
                        D   C   G
I mek up me mind Lord, I might as well go 'gainst I man faith.
                        D   C   G
So a forward a market, I sight the butcher b - woy by de gate.

Chorus 1
            F♯   G
(You wan' goat?) No I might-a kill I queen.
            G♯ A
(Try de beef nuh?) I no check fi no grass weh green.
            C♯   D
(Wha' bout fowl?) What'cha know is time fi a change.
            C   G
(Mere fish ?) Got children out a dat range.

cont.

                      (G)
(How 'bout de steak?) What'cha know, me no sight me rate.

G♯ A
(Try tripe?) Bu'n me belly when I pull me pipe.

           C♯   **D**
(What a - bout de pork then?)

Hush your mouth man, me brethren hear

C   **G**
Sell I a pound of dat t'ing there.

Link 1 | **D** | **D** **G** ‖

Verse 2

(G)   **A**
So when the butcher pull up a stool,

        C   **G**
Begin fi question Ozzy how him so fool.

             A
What kind a sump'in cook in a pot,

        C   **G**
From him born him never did hear 'bout dat.

                   D **C**   **G**
Well what 'cha know mas - ter, give I time mek'a try explain.

          D
It's just like a flim show,

      C   **G**
Fi protect the humble we change the name.

        D
I would have feel so cute,

        C   **G**
Fi come in and ask we some 'Ar - nold fat',

      D   **C**   **G**
I and I feel safer if we change the subject and call it Dat.

Chorus 2

      F♯   **G**
(You wan' goat?) No I might-a kill I queen.

      G♯ A
(Take de beef then man) I no check fi no grass weh green.

      C♯   **D**
(Wha' bout fowl?) What'cha know is time fi a change.

    C   **G**
(Take fish then) Got children out a dat range.

          (G)
(Me have good   steak you know) What'cha know, me no sight me rate.

      G♯ A
(Take the tripe then man) Bu'n me belly when I pull me pipe.

      C♯ D
(Side of pork then?)

Hush your mouth man, me brethren hear

C   **G**
Sell I a pound of dat t'ing there.

Link 2 | **G** | **G♯ A** | **C♯ D** | **C* Bm Am G** ‖

Verse 3

(G)   **G♯**   **A**
Ozzy pay off de butcher bill,

   C   **G**
Tek de parcel and trod up the hill.

              A
Like a spite who do you t'ink him meet?

   C   **G**
Rasta Jeremiah from down the street.

       D
Guidance me brethren,

     C   **G**
Is wha' you have in a dat dere bag?

       D   **C**   **G**
Him kinda get frighten, and begin fi hide it beneat' him rag.

       D
That man no fear I Lord,

     C   **G**
Mek we go up me yard and take a sat.

       D
Meanwhile light a fire,

     C   **G**
I will help you eat off de pound a dat.

Chorus 3   As Chorus 1 *w/vocal ad lib; repeat to fade*

Don't Turn Around

Words & Music by
Albert Hammond & Diane Warren

Bmaj7   C#m7   E   F#11   F#   A   F#6

Intro

N.C.   Bmaj7 C#7 E F#11
Ooh⸺

Bmaj7 C#m7   F#11
Whoa, oh, oh, oh.

Verse 1

E   B   E   F#
If you wanna leave baby,

 E   Bmaj7   E F#
I won't beg you to stay

  E   Bmaj7   E   F#
And if you wanna go   darlin'

E   Bmaj7   E F# E
Maybe it's better that way.

Pre-chorus 1

E
I'm gonna be strong,

I'm gonna be fine,

              F#11
Don't worry about this heart of mine.

                    E
Walk out the door, see if I care,

          F#11
Go on and go now.

Chorus 1

F#11
But don't turn around,

Bmaj7   E   C#m7
 'Cos you're gonna see my heart breaking.

F#11   E
Don't turn around,

Bmaj7   E   F#11
 I don't want you seeing me crying.

Just walk away,

Bmaj7   E   C#m7
 It's tearing me a - part that you're leaving,

<pre>
       F#11   A F#11   Bmaj7   E F#11
I'm letting you go,   and I won't let you know   baby,
        E   Bmaj7   E F#11
I won't let you know.
</pre>

Verse 2

<pre>
         E   Bmaj7   E   F# E   Bmaj7   E F#
I won't miss your arms a - round me,   holding me tight.
              E   Bmaj7   E   F#
And if you ever think a - bout me,
      E   Bmaj7   E   F#   E
Just know that I'm gonna be al - right.
</pre>

Pre-chorus 2

<pre>
          E
I'm gonna be strong,

I'm gonna be fine,
                    F#11
Don't worry about this heart of mine.
                   E
I'm gonna sur - vive yeah,

I'll make it through,
            F#11
And I'll learn to live without you.
</pre>

Chorus 2

<pre>
          N.C.
But don't turn around,
   Bmaj7   E   C#m7
   'Cos you're gonna see my heart breaking.
F#11   E
Don't turn around,
   Bmaj7   E   F#11
   I don't want you seeing me crying.
E
Just walk away,
   Bmaj7   E   C#m7
   It's tearing me a - part that you're leaving,
      F#11   A
I'm letting you go,—
F#11   Bmaj7 C#m7 E F#11
   And I won't let you know.
</pre>

Bridge

<pre>
   C#m7   F#6
   I wish I could scream out loud, that I love you,
   C#m7
   I wish I could say to you:
F#11
Don't go, don't go, don't go.
</pre>

Chorus 3

N.C.   Bmaj7   E   C#m7

Don't turn a - round girl,   oh - oh.

F#11   E

Don't turn around,

               E   F#11

I don't want you seeing me crying.

E   Bmaj7

Just walk a - way,

             E   C#m7

It's tearing me a - part that you're leaving,

   F#11   A   F#11

I'm letting you go.

Chorus 4

F#11

Don't turn around,

Bmaj7   E   C#m7

  'Cos you're gonna see my heart breaking.

F#11   E

Don't turn around

Bmaj7   E   F#11

  I don't want you seeing me crying.

E

Just walk away,

Bmaj7   E   C#m7

  It's tearing me a - part that you're leaving,

   F#11   A

I'm letting you go.

Chorus 5

F#11   Bmaj7

   Don't you turn a - round,

        E   C#m7

  I don't want you to see when   I'm crying.

F#11   E   B

(Don't turn around,)

        E   C#m7

Hey girl, don't you turn around when you're leaving.

E

(Don't turn around,)

Bmaj7   E   C#m7

Well, well, I don't want you to see when I'm crying.

F#11   E

(Don't turn around,)

Bmaj7   E   F#11

  No, no, I don't want you to turn when you're leaving.

         Bmaj7   E   C#m7

Don't you turn a - round

F#11   Bmaj7   E   F#11

Don't turn a - round yeah.

Ad lib. to fade

Do You Feel My Love

Words & Music by
Eddy Grant

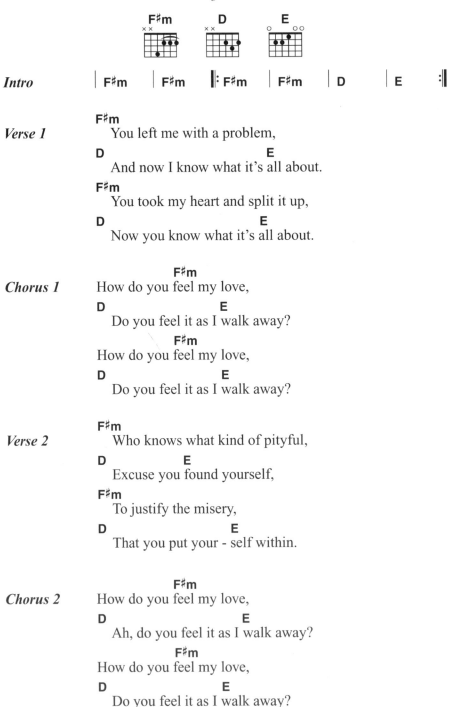

Intro | F♯m | F♯m |: F♯m | F♯m | D | E :|

Verse 1
F♯m
You left me with a problem,
D   E
And now I know what it's all about.
F♯m
You took my heart and split it up,
D   E
Now you know what it's all about.

Chorus 1
                              F♯m
How do you feel my love,
D   E
Do you feel it as I walk away?
                              F♯m
How do you feel my love,
D   E
Do you feel it as I walk away?

Verse 2
F♯m
Who knows what kind of pityful,
D   E
Excuse you found yourself,
F♯m
To justify the misery,
D   E
That you put your - self within.

Chorus 2
                              F♯m
How do you feel my love,
D   E
Ah, do you feel it as I walk away?
                              F♯m
How do you feel my love,
D   E
Do you feel it as I walk away?

Verse 3

F♯m
Need to find myself, all that I've got left,

D   E
Used up, ooh, I'm used up,

F♯m
Need to cry but still, got to show my will,

D   E
Been used too much.

Solo ‖: F♯m | F♯m | D | E :‖

Chorus 3

          F♯m
How do you feel my love,

    D   E
Oh Jad, do you feel it as I walk away?

          F♯m
How do you feel my love, oh, oh,

    D   E
Oh Jad, do you feel it as I walk away?

Verse 4

F♯m
Need to find myself, all that I've got left,

D   E
Used up, ooh, I'm used up,

F♯m
Need to cry but still, got to show my will,

D   E
I been used too much.

Chorus 4

          F♯m
How do you feel my love, ho mama, ho mama,

     D   E
Ho, do you feel it as I walk away?

          F♯m
How do you feel my love, ho mama, ho mama,

     D   E
Ho, do you feel it as I walk away?

          F♯m
‖: How do you feel my love, do you, do you,

       D   E
Do you feel my love (do you feel it) as I walk away?

          F♯m
How do you feel my love, ah do ya, ah do ya,

       D
Ah do you feel my love (do you feel it as I walk away?)

E
Feel my love. :‖ *Repeat to fade*

Double Barrel

Words & Music by
Winston Riley

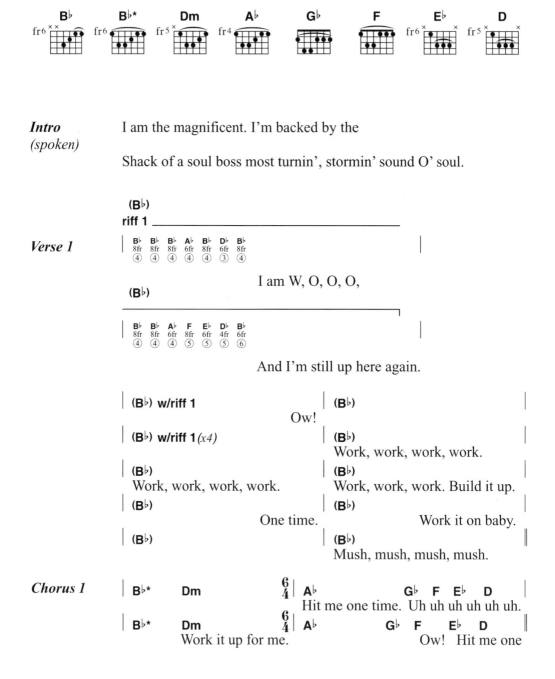

Intro
(spoken)

I am the magnificent. I'm backed by the

Shack of a soul boss most turnin', stormin' sound O' soul.

Verse 1

(B♭)
riff 1 _____

| B♭ B♭ B♭ A♭ B♭ D♭ B♭ |
| 8fr 8fr 8fr 6fr 8fr 6fr 8fr |
| ④ ④ ④ ④ ④ ③ ④ |

I am W, O, O, O,

(B♭)

| B♭ B♭ A♭ F E♭ D♭ B♭ |
| 8fr 8fr 6fr 8fr 6fr 4fr 6fr |
| ④ ④ ④ ⑤ ⑤ ⑤ ⑥ |

And I'm still up here again.

| (B♭) w/riff 1 | | (B♭) | |
| Ow! | | | |

| (B♭) w/riff 1 *(x4)* | | (B♭) | |
| | | Work, work, work, work. | |

| (B♭) | | (B♭) | |
| Work, work, work, work. | | Work, work, work. Build it up. | |

| (B♭) | | (B♭) | |
| One time. | | Work it on baby. | |

| (B♭) | | (B♭) | |
| | | Mush, mush, mush, mush. | |

Chorus 1

| B♭* Dm | 6/4 | A♭ G♭ F E♭ D |
| | | Hit me one time. Uh uh uh uh uh uh. |

| B♭* Dm | 6/4 | A♭ G♭ F E♭ D |
| Work it up for me. | | Ow! Hit me one |

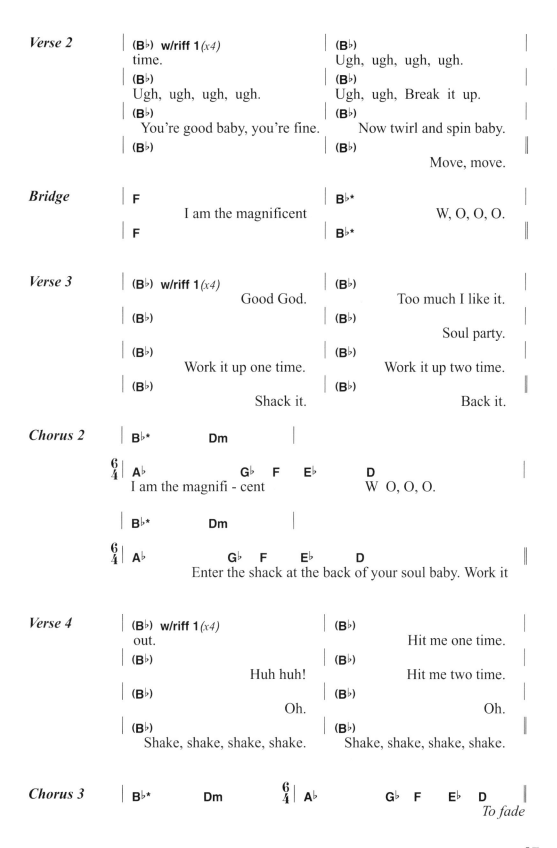

Verse 2 | (B♭) w/riff 1 *(x4)* | (B♭) |
        time.   Ugh, ugh, ugh, ugh.

| (B♭) | (B♭) |
Ugh, ugh, ugh, ugh.   Ugh, ugh, Break it up.

| (B♭) | (B♭) |
  You're good baby, you're fine.   Now twirl and spin baby.

| (B♭) | (B♭) ‖
                            Move, move.

Bridge | F | B♭* |
      I am the magnificent   W, O, O, O.

| F | B♭* ‖

Verse 3 | (B♭) w/riff 1 *(x4)* | (B♭) |
      Good God.   Too much I like it.

| (B♭) | (B♭) |
                       Soul party.

| (B♭) | (B♭) |
   Work it up one time.   Work it up two time.

| (B♭) | (B♭) ‖
      Shack it.   Back it.

Chorus 2 | B♭*   Dm | |

6/4 | A♭   G♭ F E♭   D |
I am the magnifi - cent   W O, O, O.

| B♭*   Dm | |

6/4 | A♭   G♭ F E♭   D ‖
   Enter the shack at the back of your soul baby. Work it

Verse 4 | (B♭) w/riff 1 *(x4)* | (B♭) |
   out.   Hit me one time.

| (B♭) | (B♭) |
         Huh huh!   Hit me two time.

| (B♭) | (B♭) |
           Oh.   Oh.

| (B♭) | (B♭) ‖
Shake, shake, shake, shake.   Shake, shake, shake, shake.

Chorus 3 | B♭*   Dm   6/4 | A♭   G♭ F E♭ D ‖
To fade

Draw Your Brakes

Words & Music by
David Scott, Derrick Harriott & Winston Jones

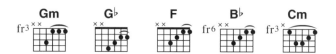

Intro

| Gm | Gm | Gm | Gm |

| Gm | Gm | Gm G♭ | F |

Chorus 1

B♭   Gm
Stop that train I wanna get on,
    Cm   F   Gm
My Baby, she is leaving me now.

(Did you hear that? Express yourself).
B♭   Gm
Stop that train I wanna get on,
    Cm   F   Gm
My Baby, she is leaving me now.

Verse 1
*(spoken
ad lib. vocal)*

‖: (Gm) | Gm | Gm | Gm |

| Gm | Gm | Gm | F | :‖

| Gm | Gm ‖

Chorus 2
B♭   Gm
Stop that train I wanna get on.

(spoken ad lib. vocal)
| Cm | F | Gm | Gm |

B♭   Gm
Stop that train I wanna get on.

(spoken ad lib. vocal)
| Cm | F | Gm | Gm   ‖

Bridge
Gm   F   Gm
La la la la la la, la la la la la la,—— (ooh, ooh.)
Gm   F   Gm
La la la la la la, la la la la la la,—— (woah!)
Gm   F   Gm
La la la la la la, la la la la la la,—— (ooh, yeah.)
Gm   F   Gm N.C.
La la la la la la, la la la la la la.

Solo
‖: Gm | F | Gm | Gm   :‖

Link
(spoken ad lib. vocal)
‖: Gm | Gm | Gm | Gm |
| Gm | F | Gm | Gm   :‖

Chorus 3
(spoken ad lib. vocal)
‖: B♭ | Gm | Gm |
Stop that train...

| Cm | F | Gm | Gm |

B♭   Gm
Stop that train I wanna get on.

(spoken ad lib. vocal)
| Cm | F | Gm | Gm   :‖ *Repeat to fade*

Everything I Own

Words & Music by
David Gates

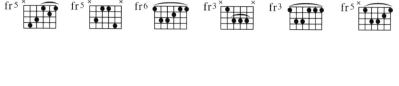

Intro | F C/E B♭ C/E F | F C/E B♭ C/E F   ‖

Verse 1
                                         C
You sheltered me from harm,
      B♭   **F**   **C**
Kept me warm, kept me warm.
F   **C**
You gave my life to me,
      B♭   **F**   **C**
Set me free, set me free.

Link 1
Gm   **C**
The finest years I ever knew,
Gm   **C**
Were all the years I had with you.

Chorus 1
                    F **B♭** **C**
And I would give any - thing I own,
              F **B♭**   **C**
Give up my life, my heart, my home.
              F **B♭** **C**
I would give ev'ry - thing I own
    B♭   **F**
Just to have you back a - gain.

Bridge 1

         Dm
Is there someone you know

Who won't let you go,
         Gm
But taking it all for granted?

You may lose them one day,

Someone takes them away,
             C
And they don't hear the words they say...

Chorus 2

         F   **B♭**   **C**
And I would give any - thing I own,
         F   **B♭**   **C**
Give up my life, my heart, my home.
G   **F**   **B♭**   **C**
I would give ev'ry - thing I own,
       B♭   **F**
Just to have you back a - gain.
       B♭   **F**
Just to talk to you words again.

Intro

‖: F C/E B♭ C/E F │ F C/E B♭ C/E F :‖

Bridge 2   As Bridge 1

Chorus 3

         F   **B♭**   **C**
And I would give any - thing I own,
         F   **B♭**   **C**
Give up my life, my heart, my home.
G   **F**   **B♭**   **C**
I would give ev'ry - thing I own,
       B♭   **F**
Just to have you back a - gain.
       B♭   **F**
Just to talk to you words again,
       B♭   **F**
Just to hold you once again,
       B♭   **F**
Just to talk with you words again... *To Fade*

Fatty Bum Bum

Words & Music by
Carl Malcolm

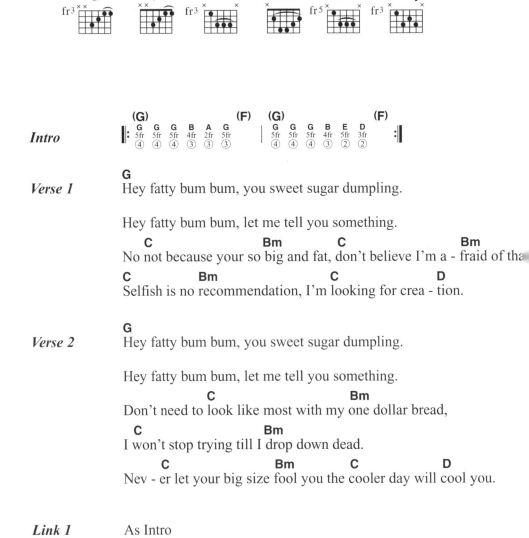

Intro

Verse 1

G
Hey fatty bum bum, you sweet sugar dumpling.

Hey fatty bum bum, let me tell you something.
   C   Bm   C   Bm
No not because your so big and fat, don't believe I'm a - fraid of tha
C   Bm   C   D
Selfish is no recommendation, I'm looking for crea - tion.

Verse 2

G
Hey fatty bum bum, you sweet sugar dumpling.

Hey fatty bum bum, let me tell you something.
            C   Bm
Don't need to look like most with my one dollar bread,
    C   Bm
I won't stop trying till I drop down dead.
    C   Bm   C   D
Nev - er let your big size fool you the cooler day will cool you.

Link 1   As Intro

Verse 3

```
              C                       Bm
Don't need to look like most with my one dollar bread,
       C                      Bm
I won't stop trying till I drop down dead.
         C               Bm        Cmaj7        D
Nev - er let your big size fool you the cooler day will cool you.
```

Verse 4

```
         G
Hey fatty bum bum, you sweet sugar dumpling.

Hey fatty bum bum, let me tell you something.
          C               Bm        C              Bm
I say not because your so big and fat, don't believe I'm a - fraid of that.
       C         Bm                    Cmaj7 D
Selfish is no recommendation, I'm look - ing for creation.
```

Outro

```
           G                                    F
𝄆 Hey  fatty bum bum, you sweet sugar dumpling.
          G          F   G
Hey  fatty bum bum,  let  me tell you something. 𝄇 To fade
```

Feel Like Jumping

Words & Music by
Jackie Mittoo, Keith Anderson, Clement Dodd & Marcia Griffiths

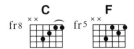

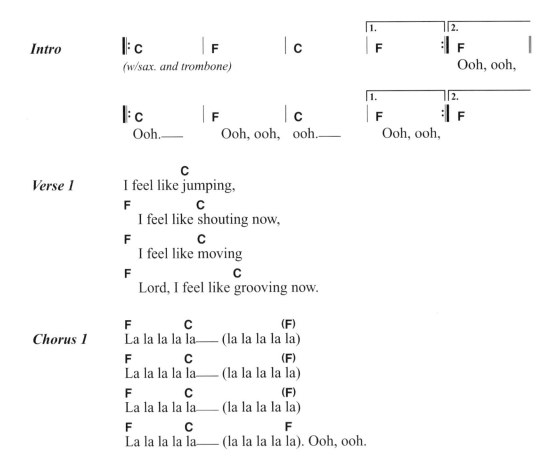

Intro   ‖: C | F | C |¹· F   :‖²· F ‖
(w/sax. and trombone)   Ooh, ooh,

‖: C | F | C |¹· F   :‖²· F
Ooh.——   Ooh, ooh, ooh.——   Ooh, ooh,

Verse 1
        C
I feel like jumping,
F   **C**
  I feel like shouting now,
F   **C**
  I feel like moving
F   **C**
  Lord, I feel like grooving now.

Chorus 1
F   **C**   **(F)**
La la la la la—— (la la la la la)
F   **C**   **(F)**
La la la la la—— (la la la la la)
F   **C**   **(F)**
La la la la la—— (la la la la la)
F   **C**   **F**
La la la la la—— (la la la la la). Ooh, ooh.

Link 1 |: C | F | C | F   :| F ||
Ooh.——   Ooh, ooh,   ooh.——   Ooh, ooh,   *(w/sax. and trombone)*

|: C | F | C | F   :| F ||
Ooh, ooh.

|: C | F | C | F   :| F
Ooh.——   Ooh, ooh,   ooh.——   Ooh, ooh,

                    C
Verse 2   I feel like laughing,
               F   C
                 I feel like crying now,
               F   C
                 Lord, I feel like sighing,
               F   C
                 And I feel like dying now.

Chorus 2   As Chorus 1

Link 2   As Link 1

Verse 3   As Verse 1

Chorus 3   As Chorus 1

Outro |: C | F | C | F   :| F ||
Ooh.——   Ooh, ooh,   ooh.——   Ooh, ooh,   *(w/sax. and trombone)*

|: C | F | C | F   :| *Repeat to fade*

Food For Thought

Words & Music by
James Brown, Brian Travers, Robin Campbell, Norman Hassan,
Earl Falconer, Michael Virtue, Alistair Campbell & Terrence Wilson

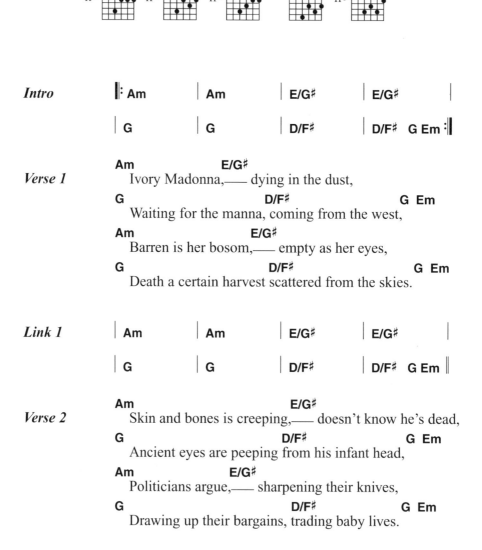

Intro ‖: Am | Am | E/G♯ | E/G♯ |

| G | G | D/F♯ | D/F♯ G Em :‖

Verse 1

Am   E/G♯
Ivory Madonna,—— dying in the dust,
G   D/F♯   G Em
Waiting for the manna, coming from the west,
Am   E/G♯
Barren is her bosom,—— empty as her eyes,
G   D/F♯   G Em
Death a certain harvest scattered from the skies.

Link 1 | Am | Am | E/G♯ | E/G♯ |

| G | G | D/F♯ | D/F♯ G Em ‖

Verse 2

Am   E/G♯
Skin and bones is creeping,—— doesn't know he's dead,
G   D/F♯   G Em
Ancient eyes are peeping from his infant head,
Am   E/G♯
Politicians argue,—— sharpening their knives,
G   D/F♯   G Em
Drawing up their bargains, trading baby lives.

Chorus 1

```
Am              E/G♯
Ivory Madonna,── dying in the dust,
G                      D/F♯                 G  Em
Waiting for the manna, coming from the west.
```

Link 2   As Link 1

Verse 3

```
Am                     E/G♯
Hear the bells are ringing,── Christmas on its way,
G                      D/F♯
Hear the angels singing, what is that they say?
Am                     E/G♯
Eat and drink rejoicing,── joy is here to stay,
G                      D/F♯            G  Em
Jesus son of Mary is born again today.
```

Chorus 2

```
Am              E/G♯
Ivory Madonna,── dying in the dust,
G                      D/F♯                 G  Em
Waiting for the manna, coming from the west,
Am              E/G♯
Ivory Madonna,── dying in the dust,
G                      D/F♯                 G  Em
Waiting for the manna, coming from the west.
```

Outro

```
‖: Am      | Am      | E/G♯    | E/G♯        |

 | G       | G       | D/F♯    | D/F♯  G Em :‖  Repeat to fade
```

55

Ghost Town

Words & Music by
Jerry Dammers

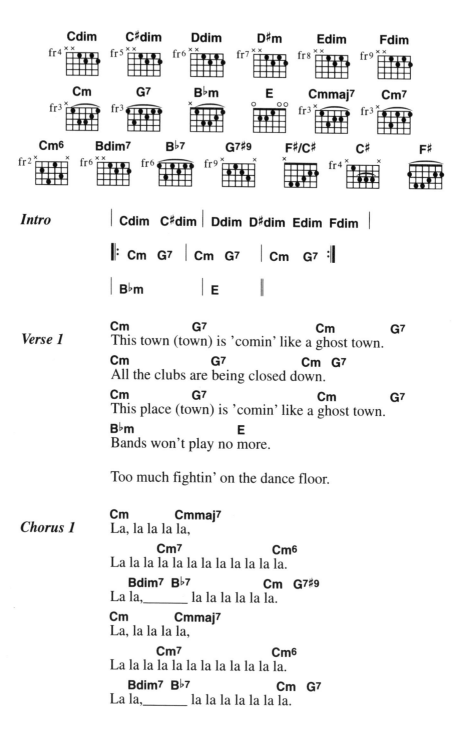

Intro

| Cdim C#dim | Ddim D#dim Edim Fdim |

||: Cm G7 | Cm G7 | Cm G7 :||

| B♭m | E ||

Verse 1

Cm   G7   Cm   G7
This town (town) is 'comin' like a ghost town.

Cm   G7   Cm G7
All the clubs are being closed down.

Cm   G7   Cm   G7
This place (town) is 'comin' like a ghost town.

B♭m   E
Bands won't play no more.

Too much fightin' on the dance floor.

Chorus 1

Cm   Cmmaj7
La, la la la la,

        Cm7   Cm6
La la la la la la la la la la la.

        Bdim7 B♭7   Cm G7#9
La la,_____ la la la la la la.

Cm   Cmmaj7
La, la la la la,

        Cm7   Cm6
La la la la la la la la la la la.

        Bdim7 B♭7   Cm G7
La la,_____ la la la la la la.

Link 1 | Cdim C#dim | Ddim D#dim Edim Fdim ‖

Middle

F#/C#   C#   F#/C#   C#   F#
Do you remember the good old days before the ghost town?

  F#/C#   C#   F#/C# C#   F#   G7
We danced and sang and the music played in our dear boom town.

Link 2 | Cm G7 | Cm G7 | Cm G7 |

| Cm G7 | Cm G7 | Cm G7 |

| B♭m | E   ‖

Verse 2

Cm   G7   Cm
This town (town) is 'comin' like a ghost town.

              G7   Cm G7
Why must the youth fight against themself.

Cm   G7
    Government's leavin' the youths on the shelf.

Cm   G7   Cm
This place (town) is 'comin' like a ghost town.

              G7
No job to be found in this country,

B♭m   E
Can't go on no more,

The people gettin' angry.

Chorus 2   As Chorus 1

Outro

Cm   G7   Cm
This town is 'comin' like a ghost town.

       G7   Cm
This town is 'comin' like a ghost town.

       G7   Cm
This town is 'comin' like a ghost town.

     N.C.
This town is 'comin' like a ghost town.

Girlie Girlie

Words & Music by
Sangie Davis, Steve Golding & Oswald Douglas

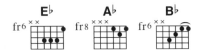

Intro | Drums || E♭ A♭ | E♭ B♭ | E♭ A♭ | E♭ B♭ ||

Chorus 1
                E♭   A♭
Young man you too girlie girl - ie.
            E♭   B♭
You just a flash it round the world - ie.
                E♭   A♭
Young man you too girlie girl - ie.
            E♭   B♭
You just a flash it round the world - ie.

Verse 1
              E♭   A♭
Him have one up here, one down there,
E♭   B♭
One in Hanover, one down a there.
E♭   A♭
One she's a lawyer, one she's a doctor,
E♭   B♭
One wen dem work with a little con - tractor.
E♭   A♭
One down a east, one down a west,
E♭   B♭
Him have one up north, and two down south,
E♭   A♭   E♭ B♭
One a sell cigarettes,   on the roundabout - lord.

Chorus 2   As Chorus 1

Verse 2

       E♭   A♭
Him have one go a school, and one fool, fool,

       E♭   B♭
Him have one everytime, me say she thinks a she rules.

E♭   A♭
One she a nurse she say she come first,

N.C.
The other night them going out dem pick her new purse.

E♭   A♭
One a sell star, one work in a bar,

  E♭   B♭
A she can smile when the two a dem a spar.

E♭   A♭
One gettie gettie, one frettie, frettie,

  E♭   N.C.
And him no drink no other milk but Betty.

Chorus 3

      E♭   A♭
‖: You too girlie girl - ie.

     E♭   B♭
You just a flash it round the world - ie.

      E♭   A♭
Young man you too girlie, girl - ie.

     E♭   B♭
You just a flash it round the world - ie. :‖

Link 1   As Intro

Chorus 4   As Chorus 1

Verse 3

      E♭
Him have one up here, one down there,

A♭
One in Hanover, one down a there.

E♭
One she's a lawyer, one she's a doctor,

B♭
One wen dem work with a little contractor.

E♭
One down a east, one down a west,

A♭
Him have one up north, and two down south

E♭   B♭
One a go a school, and one fool, fool.

Chorus 5

     E♭   A♭
You too girlie girl - ie.

       E♭   B♭
You just a flash it round the world - ie.

          E♭   A♭
Young man you too girlie girl - ie.

       E♭   B♭
You just a flash it round the world - ie.

Verse 5

   E♭   A♭
A big fat one who a go - go dancer,

     E♭   B♭
A little slim one who's a radio announcer.

    E♭   A♭
One highty - highty, one flighty - flighty,

E♭   B♭
And before him grow old, he want one a North Pole.

Outro

E♭   A♭
One in a London, one in a Japan, one in a Scotland, one in a Finland.

E♭   B♭
One in a Taiwan, one in a Iran, one in a Greenland, one in a Iceland.

                  A♭
One in Canada, one in Uganda, one in America, one in Cuba.

E♭
One in Antigua, one in Bermuda, one in China, and one Asia,

E♭   A♭
One in Bolivia, one in Cuba, one in Ghana, *etc...*

To fade

Here I Come

Words & Music by
Barrington Levy

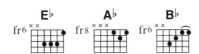

Intro

    Em   Am
Shudlee-wop, shudlee-woop wo-ah, we-ooh

Em
We-ooh, ooh wee-ooh

                                   Am
Shudlee-wodlee -diddlee-diddlee-woah,—— sween.

Verse 1

Em
On the intercom Rosie comin' to town,

    Am
Say she didn't have a daughter, she did have a son.

        Em
She said the lift doesn't work, run up the stairs and come,

    Am
And if you don't come quick, you not gonna know that son.

    Em
So I grab a bunch of rose and I started to run,

    Am
Here I come, woah,——

Verse 2

Em
Two months later she said come and get your son,

    Am
'Cos I don't want your baby to come tie me down.

        Em
Now because you are old and I am young,

    Am
Yes, while I'm young, yes I want to have some fun.

Chorus 1	**Em** Run me down, **Am** Shudlee-wodlee-diddlee-woodlee-diddlee-woah,—— sween **Em** **Am** I'm broad, I'm broad, I'm broader than Broadway, **Em** **Am** Yes, I'm broad, I'm broad, I'm broader than Broadway.
Bridge 1	**Em** When you go to volcano it's like a stage show, **Am** You have man that sing, DJ and blow. **Em** **Am** Pull it down to Jenny - o, lo - ee - oh, oh, oh, sween.

Verse 3	**Em**
	On the intercom Rosie comin' to town,
	       Am
	Say she didn't have a daughter, she did have a son.
	          Em
	She said the lift doesn't work, run up the stairs and come,
	      Am
	And if you don't come quick, you not gonna see your son.
	      Em
	So I grab a bunch of rose and I started to run,
	      Am
	Here I come, woah.——

Verse 4	As Verse 2
Chorus 2	**Em** Run me down, **Am** Shudlee wop boo boodilee diddlee woah,—— sween. **Em** **Am** Extra size, extra size, extra sizer than size-way, Extra broad, extra broad, extra broader than Broadway.

Verse 5

Em
On the intercom Rosie comin' to town,

      Am
Say she didn't have a daughter, she did have a son.

      Em   Am
Here I come, shudlee-wodlee-diddle-woodlee-diddlee-woah,— sween

      Em   Am
'Cos I'm broad, I'm broad, I'm broader than Broadway,

      Em   Am
Yes, I'm broad, I'm broad, I'm broader than Broadway.

Bridge 2

Em
Over the ocean and over the sea,

Am
All of the girls them a vote for we.

Em   Am
Ooh-ee, shudlee wodlee diddlee wodlee diddlee woah,— sween.

Verse 6   As Verse 3

Verse 7   As Verse 2

Chorus 3

Em
Run Me down,

                 Am
Shudlee wop boo boodilee diddlee woah,— sween

      Em   Am
'Cos I'm broad, I'm broad, I'm broader than Broadway,

    Em   Am
I'm broad, I'm broad, I'm broader than Broadway.

      Em   Am
Diddlee wop , shudlee-woop-diddlee-woodlee-diddlee-woah, sween.

Em   Am
Ooh we we you, shudlee-wodlee-diddlee-woah,— sween.

Outro

  Em
‖: Over the ocean and over the sea,

Am
All of the girls them a vote for we.

Em   Am
Ooh- ee, shudlee-wodlee-diddlee-woodlee-diddlee-woah,— sween.:‖

To fade

The Harder They Come

Words & Music by
Jimmy Cliff

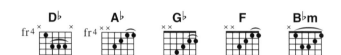

Intro

Db Ab   Gb Ab   Db Ab   Gb

Oh yeah,   but oh yeah, oh yeah. Alright.

Verse 1

    Ab
Well they tell me of a pie up in the sky,

Gb
Waiting for me when I die.

    Ab
But be - tween the day you're born and when you die,

    Gb
They never seem to hear even your cry.

    F
So as sure as the sun will shine,

    Bbm
 I'm gonna get my share now of what's mine.

Chorus 1

    Ab   **Gb**
And then the harder they come the harder they'll fall,

    Db
One and all.

    Ab   **Gb**
Ooh, the harder they come the harder they'll fall,

    Db
One and all.

Verse 2

    Ab
Well the oppressors are trying to keep me down,

Gb
Trying to drive me underground.

    Ab
And they think that they have got the battle won,

cont.

        G♭
I say for - give them Lord, they know not what they've done,

      F
'Cos as sure as the sun will shine,

       B♭m
I'm gonna get my share now of what's mine.

Chorus 2

          A♭   **G♭**
And then the harder they come the harder they'll fall,

     D♭
One and all.

       A♭   **G♭**
Ooh, the harder they come the harder they'll fall,

     D♭
One and all.

Link

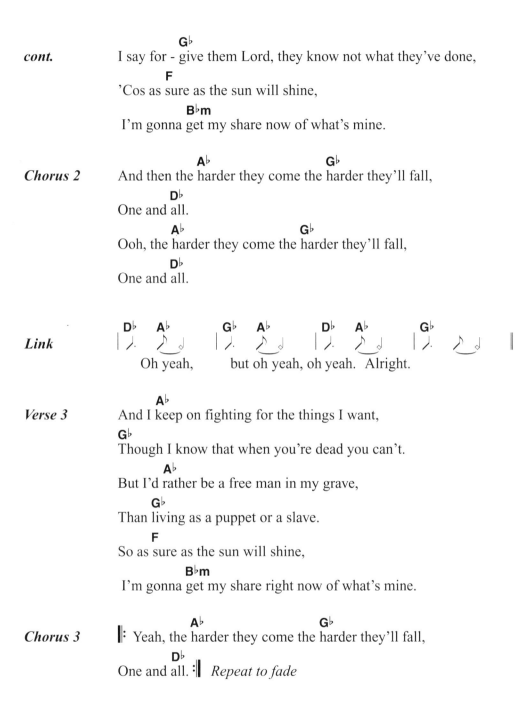

Oh yeah,   but oh yeah, oh yeah. Alright.

Verse 3

      A♭
And I keep on fighting for the things I want,

G♭
Though I know that when you're dead you can't.

      A♭
But I'd rather be a free man in my grave,

     G♭
Than living as a puppet or a slave.

     F
So as sure as the sun will shine,

       B♭m
I'm gonna get my share right now of what's mine.

Chorus 3

          A♭   **G♭**
‖: Yeah, the harder they come the harder they'll fall,

   D♭
One and all. :‖ *Repeat to fade*

I Can See Clearly Now

Words & Music by
Johnny Nash

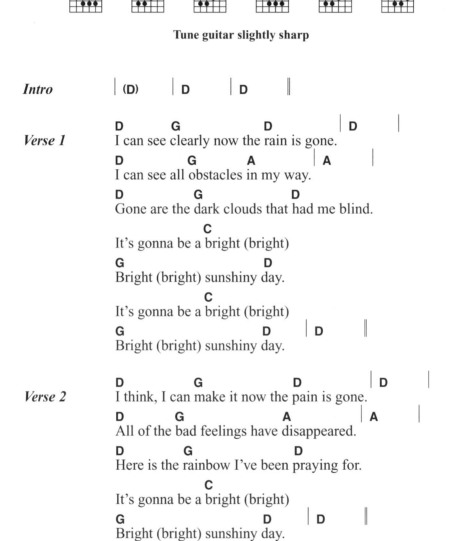

Tune guitar slightly sharp

Intro | (D) | D | D ‖

Verse 1
D   G   D | D |
I can see clearly now the rain is gone.

D   G   A | A |
I can see all obstacles in my way.

D   G   D
Gone are the dark clouds that had me blind.

C
It's gonna be a bright (bright)

G   D
Bright (bright) sunshiny day.

C
It's gonna be a bright (bright)

G   D | D   ‖
Bright (bright) sunshiny day.

Verse 2
D   G   D | D |
I think, I can make it now the pain is gone.

D   G   A | A |
All of the bad feelings have disappeared.

D   G   D
Here is the rainbow I've been praying for.

C
It's gonna be a bright (bright)

G   D | D   ‖
Bright (bright) sunshiny day.

Bridge

      F   C | C |

Look all around, there's nothing but blue skies.

   F   A

Look straight ahead, there's nothing but blue skies.

Link 1

| C♯m/G♯ | G | C♯m/G♯ | G |

| C | D | A | A   ‖

Verse 3

D   G   D | D |

I can see clearly now the rain is gone.

D   G   A | A |

I can see all obstacles in my way.

D   G   D

Gone are the dark clouds that had me blind.

                    C

‖: It's gonna be a bright (bright)

G   D

Bright (bright) sunshiny day. :‖ *Repeat to fade*

I Want To Wake Up With You

Words & Music by
Ben Peters

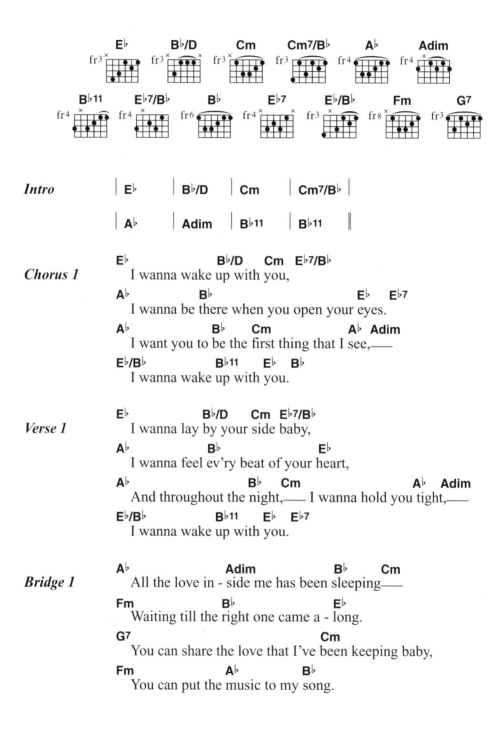

Intro

| E♭ | B♭/D | Cm | Cm7/B♭ |

| A♭ | Adim | B♭11 | B♭11 ‖

Chorus 1

E♭   B♭/D Cm E♭7/B♭
I wanna wake up with you,
A♭   B♭   E♭ E♭7
I wanna be there when you open your eyes.
A♭   B♭ Cm   A♭ Adim
I want you to be the first thing that I see,——
E♭/B♭   B♭11 E♭ B♭
I wanna wake up with you.

Verse 1

E♭   B♭/D Cm E♭7/B♭
I wanna lay by your side baby,
A♭   B♭   E♭
I wanna feel ev'ry beat of your heart,
A♭   B♭ Cm   A♭ Adim
And throughout the night,—— I wanna hold you tight,——
E♭/B♭   B♭11 E♭ E♭7
I wanna wake up with you.

Bridge 1

A♭   Adim   B♭ Cm
All the love in - side me has been sleeping——
Fm   B♭   E♭
Waiting till the right one came a - long.
G7   Cm
You can share the love that I've been keeping baby,
Fm   A♭   B♭
You can put the music to my song.

Chorus 2

E♭   B♭/D   Cm   E♭7/B♭
I wanna wake up with you,

A♭   B♭   E♭
I wanna reach out and know that you're there.

A♭   B♭   Cm   A♭   Adim
I want you to be the first thing that I see,——

E♭/B♭   B♭11   E♭   B♭
I wanna wake up with you.

Verse 2

| E♭ | B♭/D | Cm | C7/B♭ |
     Tu do, do,   do,   do 'n'   do.

| A♭ | B♭ | E♭ | E♭ |
     Tu do, do,   do, do, do, do, do.——

A♭   B♭   Cm   A♭   Adim
And throughout the night,—— I wanna hold you tight,——

E♭/B♭   B♭11   E♭   E♭7
I wanna wake up with you.

Bridge 2

A♭   Adim   B♭   Cm
All the love inside me has been sleeping,

Fm   B♭   E♭
Waiting till the right one came along,

G7   Cm
You can share the love that I've been keeping,

Fm   A♭   B♭11
You can put the music to my song.

Chorus 3   As Chorus 2

Verse 4   As Verse 1

Bridge 3   As Bridge 1

Chorus 4   As Chorus 2   *To fade*

Israelites

Words & Music by
Desmond Dacres & Leslie Kong

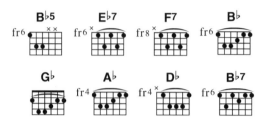

Verse 1

B♭5
Get up in the morning, slaving for bread, sir,

So that every mouth can be fed.
E♭7 F7   B♭   G♭ A♭
Poor— me, Israelite, sir.—

Verse 2

B♭
Get up in the morning, slaving for bread, sir,

So that every mouth can be fed.
E♭7 F7   B♭   D♭
Poor— me, Israelite.

Verse 3

B♭
My wife and my kids, they pack and leave me.

'Darling', she said, 'I was yours to be seen'.
E♭7 F7   B♭   D♭
Poor — me Israelite.

Verse 4

B♭
Shirt them a - tear up, trousers are gone.

I don't want to end up like Bonnie and Clyde.
E♭7 F7   B♭   D♭
Poor— me Israelite.

Verse 5

B♭
After a storm there must be a calm.

They catch me in the farm, you sound your alarm.
E♭7 F7   B♭   D♭
Poor— me Israelite. Ooh.—

Link

| B♭ | D♭ | B♭ | E♭7 |

| B♭ | D♭ | B♭ | F7 ‖

(I said I)

Verse 6

B♭
I said I get up in the morning, slaving for bread, sir,

So that every mouth can be fed.
E♭7 F7   B♭   D♭
Poor— me Israelite, sir.

Verse 7   As Verse 3

Verse 8   As Verse 4

Verse 9

B♭
After a storm there must be a calm.

They catch me in the farm. You sound your alarm.
E♭7 F7   B♭   B♭7
Poor— me Israelite. Eee.—

Outro

‖: **E♭7 F7   B♭**
    Poor— me Israelite. :‖ *Repeat ad lib.to fade*

Jamming

Words & Music by
Bob Marley

Bm7   E   G   F#m   Em

Intro   ‖: Bm7 | E | G | F#m :‖

Chorus 1
$\quad\quad\quad\quad$ Bm7 $\quad\quad$ E
We're jamming,
$\quad$ G $\quad\quad\quad\quad\quad\quad\quad$ F#m
I wanna jam it with you,
$\quad\quad\quad\quad$ Bm7 $\quad\quad$ E
We're jamming, jamming,
$\quad\quad$ G $\quad\quad\quad\quad\quad\quad\quad$ F#m
And I hope you like jamming too.

Verse 1
$\quad\quad\quad\quad$ Bm7 $\quad\quad\quad\quad$ E
Ain't no rules, ain't no vow,
$\quad\quad\quad$ Bm7 $\quad\quad$ E
We can do it anyhow,
$\quad$ G $\quad\quad\quad\quad\quad$ F#m
I-and-I will see you through,
$\quad\quad\quad\quad\quad\quad$ Bm7 $\quad\quad\quad\quad$ E
'Cos ev'ry day we pay the price
$\quad\quad\quad$ Bm7 $\quad\quad$ E
With a little sacrifice,
$\quad$ G $\quad\quad\quad\quad\quad\quad$ F#m
Jamming till the jam is through.

Chorus 2
$\quad\quad\quad\quad$ Bm7 $\quad\quad$ E
We're jamming,
$\quad\quad\quad\quad\quad$ G $\quad\quad\quad\quad\quad\quad\quad\quad\quad\quad$ F#m
To think that jamming was a thing of the past,
$\quad\quad\quad$ Bm7 $\quad\quad$ E
We're jamming,
$\quad\quad$ G $\quad\quad\quad\quad\quad\quad$ F#m
And I hope this jam is gonna last.

Verse 2

Bm⁷   E
No bullet can stop us now,

         Bm⁷   E
We neither beg nor we won't bow,

G   F♯m
Neither can be bought nor sold.

   Bm⁷   E
We all defend the right,

      Bm⁷   E
Jah Jah children must unite,

     G   F♯m
Your life is worth much more than gold.

Chorus 3

       Bm⁷   E
We're jamming, (Jamming, jamming, jamming,)

          G   F♯m
And we're jamming in the name of the Lord,

       Bm⁷   E
We're jamming, (Jamming, jamming, jamming,)

         G   F♯m
We're jamming right straight from Yard.

Bridge

Bm⁷   Em
         Holy Mount Zion,

Bm⁷   Em
         Holy Mount Zion.

Bm⁷ N.C.
         Jah seateth in Mount Zion

Bm⁷ N.C.
         And rules all Creation.

Chorus 4

          Bm⁷
Yeah, we're jamming,

E   Bm⁷
(Pop-choo), pop-choo-wa-wa,

Bm⁷
       We're jamming (pop-choo-wa), see?

G   F♯m
    I wanna jam it with you.

Bm⁷

We're jamming,

       E

(Jamming, jamming, jamming,)

     G   F♯m

I'm jamdown, I hope you're jamming too.

Verse 3

Bm⁷   E   Bm⁷   E

Jam's knows how hard I tried, the truth I cannot hide

G   F♯m

  To keep you satisfied.

      Bm⁷   E   Bm⁷   E

True love that now exist is the love I can't resist

    G   F♯m

So jam by my side.

Chorus 5

               Bm⁷

‖: Yeah, we're jamming,

          E

(Jamming, jamming, jamming)

G   F♯m

  I wanna jam it with you.

    Bm⁷

We're jamming, we're jamming,

We're jamming, we're jamming,

   E

We're jamming, we're jamming,

We're jamming, we're jamming,

G   F♯m

  Hope you like jamming too. :‖ *Repeat to fade w/ vocal ad lib*

Legalize It

Words & Music by
Peter Tosh

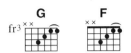

Intro
| G | F | G | F

Chorus 1
G | F | G | F
Lega - lize it,——
G | F | G | F
Don't criti - cize it,——
G F G
Lega - lize it yeah, yeah,
F G | F | G | F
And I will adver - tise it.——

Verse 1
G | F | G | F
Some call it tampee,
G | F | G | F
Some call it the weed,
G | F | G |
Some call it marijuana,
F G | F | G
Some of them call it ganja.

Chorus 2
F G | F | G
Never mind, got to lega - lize it,——
F G | F | G | F
And don't criti - cize it,——
G F G
Lega - lize it yeah, yeah,
F G | F | G | F
And I will adver - tise it.——

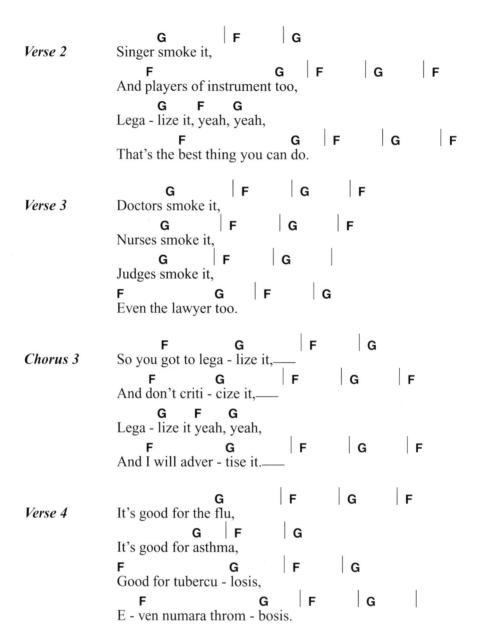

Verse 2

         G | F | G
Singer smoke it,

     F   G | F | G | F
And players of instrument too,

       G   F   G
Lega - lize it, yeah, yeah,

         F   G | F | G | F
That's the best thing you can do.

Verse 3

       G | F | G | F
Doctors smoke it,

      G | F | G | F
Nurses smoke it,

      G | F | G |
Judges smoke it,

F   G | F | G
Even the lawyer too.

Chorus 3

      F   G | F | G
So you got to lega - lize it,——

    F   G | F | G | F
And don't criti - cize it,——

    G   F   G
Lega - lize it yeah, yeah,

    F   G | F | G | F
And I will adver - tise it.——

Verse 4

          G | F | G | F
It's good for the flu,

      G | F | G
It's good for asthma,

F   G | F | G
Good for tubercu - losis,

    F   G | F | G |
E - ven numara throm - bosis.

		G	F	G	F
Chorus 4		Got to lega - lize it,——			
		G	F	G	F
		Don't criti - cize it,——			
		G F G			
		Lega - lize it yeah, yeah,			
	F	G	F	G	F
		I will adver - tise it.——			

		G	F	G	F
Verse 5		Birds eat it,			
		G	F	G	F
		Ants love it,			
		G	F	G	F
		Fowls eat it,			
		G	F	G	
		Goats love to play with it.			

Outro chorus   As Chorus 3   *To fade*

Johnny Too Bad

Words & Music by
Delroy Wilson, Hylton Beckford & Derrick Crooks

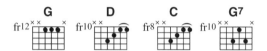

Intro | G | D | C | G ||

Verse 1
G
Walking down the road, with a pistol in your waist
             C   G   (G)
Johnny you're too bad. (Oh oh oh). Walking down the road,
       D
With a ratchet in your waist
             C   G   G7
Johnny you're too bad. (Oh oh oh).

Chorus 1
             C   D
You're just robbin' and stabbin', and lootin' and shooting,
      G
You're too bad. (Too bad)
             C   D
You're just robbin' and stabbin', and lootin' and shooting,
      G
You're too bad. (Too bad).

Verse 2
(G)   D
One of these day's when you hear a voice say come,
              C   G
Where you gonna run to? (Oh oh oh).
(G)   D
One of these day's when you hear a voice say come,
              C   G   G7
Where you gonna run to? (Oh oh oh).

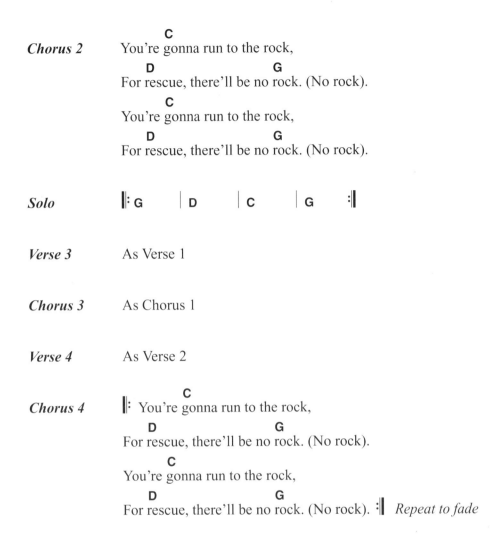

Chorus 2

              C
You're gonna run to the rock,
     D   **G**
For rescue, there'll be no rock. (No rock).
              C
You're gonna run to the rock,
     D   **G**
For rescue, there'll be no rock. (No rock).

Solo

‖: **G** | **D** | **C** | **G** :‖

Verse 3

As Verse 1

Chorus 3

As Chorus 1

Verse 4

As Verse 2

Chorus 4

             C
‖: You're gonna run to the rock,
     D   **G**
For rescue, there'll be no rock. (No rock).
             C
You're gonna run to the rock,
     D   **G**
For rescue, there'll be no rock. (No rock). :‖ *Repeat to fade*

King Without A Crown

Words & Music by
Matthew Miller & Joshua Werner

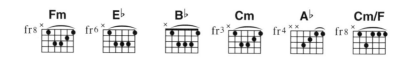

Intro　| Fm Eb | Bb Cm | Fm Eb | Bb Cm ‖

Verse 1

Ab　　　　　　　　　　　　　Cm
You're all that I have and you're all that I need,
Bb
Each and ev'ry day I pray to get to know you please,
　　　Ab　　　　　　　　Cm
I want to be close to you, yes I'm so hungry,
　　　　Fm
You're like water for my soul when it gets thirsty,
　　Ab　　　　　　　　　　　　Cm
With - out you there's no me, you're the air that I breathe,
　　　　Bb
Some - times the world is dark and I just can't see,
　　　　　Ab　　　　　　　　　　　　　　Cm
With these demons surround all around to bring me down to negativity,
　　　Fm
But I be - lieve, yes I believe, I said I believe.

Verse 2

Ab　　　　　　　　　　　　　　　　Cm
I'll stand on my own two feet, won't be brought down on one knee,
Bb
I'll fight with all of my might and get these demons to flee,
　　　Bb　　　　　　　Cm
Hashem's rays fire blaze burn bright and I believe,
　　　Fm
Hashem's rays fire blaze burn bright and I believe,
　　Ab　　　　　　　　Cm
Out of darkness comes light, twi - light unto the heights,

cont.

B♭
Crown Heights burnin' up all through the twilight,

A♭   **Cm**
Said thank you to my God now I finally got it right,

Fm
And I'll fight with all of my heart and all a' my soul and all a' my might.

Chorus 1

Fm   **E♭**
What's this feeling? My love will rip a hole in the ceiling,

B♭   **Cm**
I give myself to you from the essence of my being,

Fm   **E♭**
And I sing to my God these songs of love and healing,

B♭   **Cm**
I want Moshiach now so it's time we start revealing.

Chorus 2

Fm   **E♭**
What's this feeling? My love will rip a hole in the ceiling,

B♭   **Cm**
I give myself to you from the essence of my being,

Fm   **E♭**
And I sing to my God these songs of love and healing,

B♭   **Cm**
I want Moshiach now.

Verse 3

A♭   **Cm**
Strip away the layers and re - veal your soul,

B♭
You got to give yourself up and then you become whole,

A♭   **Cm**
You're a slave to yourself and you don't even know,

Fm
You want to live the fast life but your brain moves slow,

A♭   **Cm**
If you're trying to stay high then you're bound to stay low,

B♭
You want God but you can't deflate your ego,

A♭   **Cm**
If you're already there then there's nowhere to go,

Fm
If your cup's already full then it's bound to overflow.

Verse 4
               A♭   **Cm**
If you're drowning in the waters and you can't stay afloat,

    B♭
Ask Hashem for mercy, he'll throw you a rope,

       A♭   **Cm**
You're looking for God, you say he couldn't be found,

       Fm
Searching up to the sky, looking beneath the ground,

       A♭   **Cm**
Like a king without his crown, you'll be falling down,

    B♭
And really wants to live but can't a get rid of your frown,

         A♭   **Cm**
You're trying to reach on to the heights and run down, down on the grou

     Fm
Given up your pride and then you heard a sound,

     A♭   **Cm**
Out of night comes day, out of day comes night,

     B♭
Nulli - fied to the one like sunlight in a ray,

     A♭   **Cm**
Makin' room for his love and a fire gone blaze,

     Fm
Make room for his love and a fire gone blaze.

Chorus 3   As Chorus 1

Chorus 4   As Chorus 2

Solo | **Cm/F** | **Cm/F** | **Cm/F** | **Cm/F** ‖

‖: **Fm E**♭ | **B**♭ **Cm** | **Fm E**♭ | **B**♭ **Cm** :‖

Bridge

         Fm   **E♭**
Said I lift up mine eyes where my help come from,

      B♭   **Cm**
And I see it circling on down from the mountain.

         Fm   **E♭**
Thun - der, ya feel it in your chest,

                       B♭   **Cm**
ya keep my mind at ease   and my soul not vexed.

   Fm   **E♭**
I look to the sky where my help come from,

      B♭   **Cm**
And I see it circling on down from the mountain.

         Fm   **E♭**
Thun - der, ya feel it in your chest,

                       B♭   **Cm**
ya keep my mind at ease   and my soul not vexed.

Outro
w/ad lib. vocals

‖: **Fm E♭** | **B♭ Cm** | **Fm E♭** | ⌐1.⌐ **B♭ Cm** :‖ ⌐2.⌐ **B♭ Cm** :‖

Kingston Town

Words & Music by
Kenrick R. Patrick

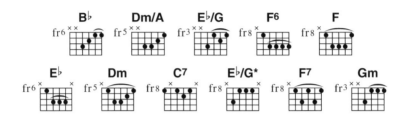

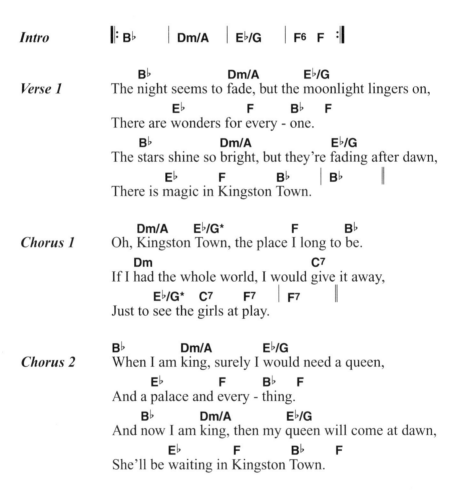

Intro ‖: B♭ | Dm/A | E♭/G | F6 F :‖

Verse 1

B♭   Dm/A   E♭/G
The night seems to fade, but the moonlight lingers on,
             E♭   F   B♭   F
There are wonders for every - one.
         B♭   Dm/A   E♭/G
The stars shine so bright, but they're fading after dawn,
             E♭   F   B♭ | B♭   ‖
There is magic in Kingston Town.

Chorus 1

         Dm/A   E♭/G*   F   B♭
Oh, Kingston Town, the place I long to be.
         Dm   C7
If I had the whole world, I would give it away,
         E♭/G*   C7   F7 | F7   ‖
Just to see the girls at play.

Chorus 2

B♭   Dm/A   E♭/G
When I am king, surely I would need a queen,
             E♭   F   B♭   F
And a palace and every - thing.
         B♭   Dm/A   E♭/G
And now I am king, then my queen will come at dawn,
             E♭   F   B♭   F
She'll be waiting in Kingston Town.

Link 1   ‖: B♭ | Dm/A | E♭/G | F6 F :‖

Chorus 2   As Chorus 1

Verse 3
      B♭   Dm/A   E♭/G
When I am king, surely I would need a queen,
        E♭   F   B♭   F
And a palace and every - thing.
      B♭   Dm/A   E♭/G
Tonight I am king, then my queen will come at dawn,
        E♭/G   F   B♭   Gm
She'll be waiting in Kingston Town. Right on.
         E♭/G   F   B♭   Gm
‖: She'll be waiting in Kingston Town. Right on. :‖

Let Your Yeah Be Yeah

Words & Music by
Jimmy Cliff

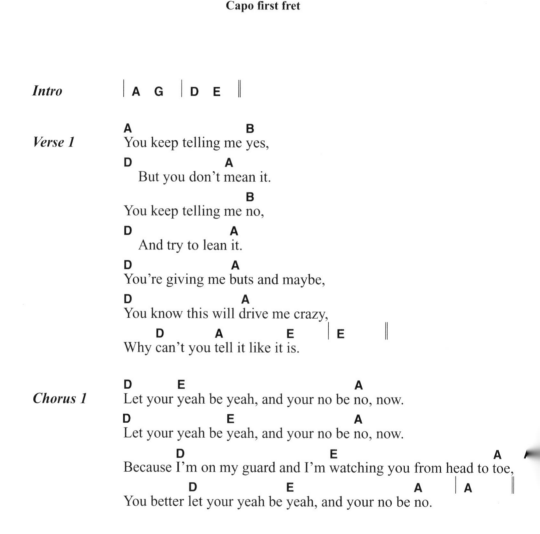

Capo first fret

Intro

| A G | D E ‖

Verse 1

A   B
You keep telling me yes,

D   A
   But you don't mean it.

B
You keep telling me no,

D   A
   And try to lean it.

D   A
You're giving me buts and maybe,

D   A
You know this will drive me crazy,

     D   A   E | E   ‖
Why can't you tell it like it is.

Chorus 1

D   E   A
Let your yeah be yeah, and your no be no, now.

D   E   A
Let your yeah be yeah, and your no be no, now.

     D   E   A
Because I'm on my guard and I'm watching you from head to toe,

     D   E   A | A   ‖
You better let your yeah be yeah, and your no be no.

Verse 2

A   **B**
You wear a plastic smile,

D   **A**
  I know by your eyes.

                          B
You speak with indefinite style,

D   **A**
  You're telling me lies.

D   **A**
You've got to face reality,

D   **A**
What is wrong with you and me,

D   **A**   **E** | **E**   ‖
Why can't you free your ho - nesty?

Chorus 2   As Chorus 1

Link 1 | **A**   **G** | **D**   **E**   ‖

Verse 3   As Verse 1

Chorus 3   As Chorus 1   *To fade*

Lively Up Yourself

Words & Music by
Bob Marley

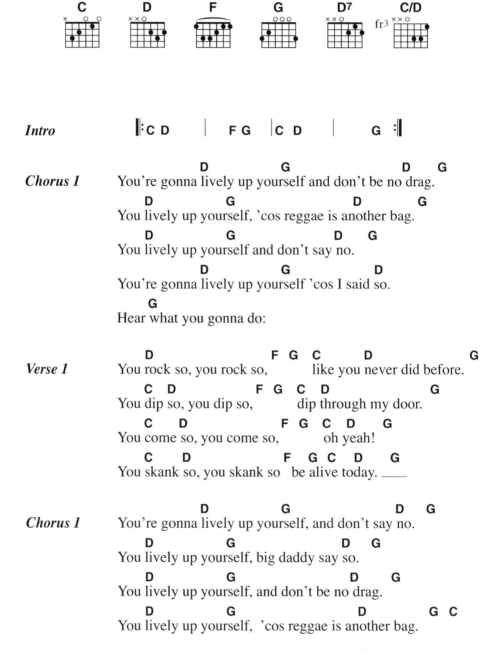

Intro ‖: C D | F G | C D | G :‖

Chorus 1
                    D   **G**   **D**   **G**
You're gonna lively up yourself and don't be no drag.
      D   **G**   **D**   **G**
You lively up yourself, 'cos reggae is another bag.
      D   **G**   **D** **G**
You lively up yourself and don't say no.
            D   **G**   **D**
You're gonna lively up yourself 'cos I said so.
    G
Hear what you gonna do:

Verse 1
      D   **F G C**   **D**   **G**
You rock so, you rock so,   like you never did before.
    C D   **F G C D**   **G**
You dip so, you dip so,   dip through my door.
    C   **D**   **F G C D** **G**
You come so, you come so,   oh yeah!
      C   **D**   **F** **G C D** **G**
You skank so, you skank so be alive today. ____

Chorus 1
                 D   **G**   **D** **G**
You're gonna lively up yourself, and don't say no.
    D   **G**   **D G**
You lively up yourself, big daddy say so.
    D   **G**   **D**   **G**
You lively up yourself, and don't be no drag.
    D   **G**   **D**   **G C**
You lively up yourself, 'cos reggae is another bag.

Bridge 1

    D   F
    What you got

    G   C D G
    That I don't know,

    C D   F
    I'm-a trying to wonder,

    G   C   D
    Wonder, wonder why you,

    Wonder why you act so?

    | C D | F G | C D |
                                Yeah!
    | G | C D | F G | C
    D   G
    Hey, do you hear what the man say?

Chorus 3

    D   G   D   G
    Lively up yourself, your woman in the morning time, y'all,

    D   G
    Keep a livelying up your woman

                             D
    When the evening come and take ya,

                     G
    Take ya, take ay, take ya.

Bridge 2

    D7   G   D7   G
    Come on baby   'cos I want to be lively myself, y'all.

    ||: D7 | G | D7 | G   :||

    | D7 | G | D7 | G |

    ||: C D | F G | C D | G   :|| *Play 3 times*

    | C D | F G | C D | G |
    D   G   C/D G
    Lively up yourself.
    D   G   C/D G
    Lively up yourself.
                   D7   G
    You're gonna rock so, you rock so.

Sax solo ||: D7 | G | D7 | G   :|| *Play 3 times*

                | D7 | G ||

```
                        C  D
Verse 3         You rock so, you rock so.

                |   F G  |C D          |
            G       C  D
                You dip so, you dip so.

                |   F G  |C D          |
            G     C     D                    F
                You skank so, you skank so,
                     G       C  D
            And don't be no  drag.
            G     C     D                    F
                You come so, you come so,
                 G         C     D
            For reggae is another bag.


            G                                  D  G
Coda            Kid what you got in the bag?
            D                              G                    D⁷  C
                What have you got in the other bag you got hanging there?
            D⁷                    G
                What you say you got?
            D⁷  G                    D⁷  G
                I don't believe you!
                                    To Fade
```

Loraine

Words & Music by
Linton Kwesi Johnson

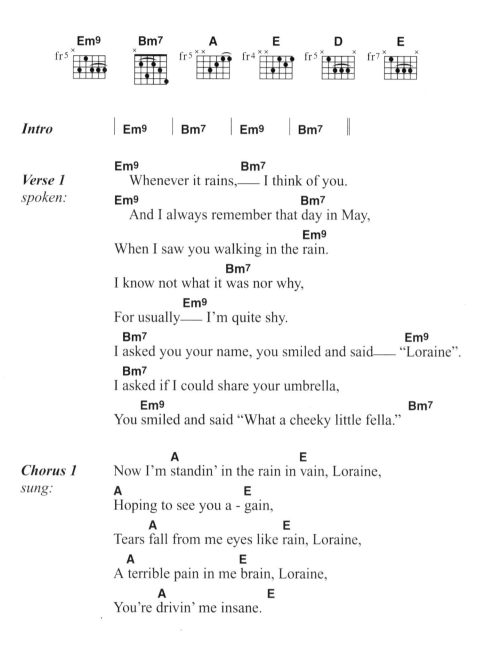

Intro | Em9 | Bm7 | Em9 | Bm7 ‖

Verse 1
spoken:

Em9   Bm7
Whenever it rains,—— I think of you.

Em9   Bm7
And I always remember that day in May,

                                        Em9
When I saw you walking in the rain.

                        Bm7
I know not what it was nor why,

            Em9
For usually—— I'm quite shy.

Bm7   Em9
I asked you your name, you smiled and said—— "Loraine".

Bm7
I asked if I could share your umbrella,

        Em9   Bm7
You smiled and said "What a cheeky little fella."

Chorus 1
sung:

                    A   E
Now I'm standin' in the rain in vain, Loraine,

A   E
Hoping to see you a - gain,

            A   E
Tears fall from me eyes like rain, Loraine,

        A   E
A terrible pain in me brain, Loraine,

                A   E
You're drivin' me insane.

Verse 2
spoken:

Em⁹　　　　　　　　**Bm⁷**
　Whenever it rains,—— I think of you.
　　　　Em⁹
And I always remember that day in May,
Em⁹
　When I saw you walking in the rain.
Em⁹
　I know not what it was nor why,
Bm
　For usually I'm quite shy.
Em⁹
　But from the moment I saw you,
　　　　Bm⁷
I knew—— that I needed you in my life.
Em⁹
　From that moment on I knew,
Em⁹　　　　　　　　　　　| **Em⁹** | **Bm⁷** ‖
　That I wanted you for my wife.

Chorus 2　　　As Chorus 1

Em⁹　　　　　　　　**Bm⁷**
Verse 3　　　Whenever it rains,—— I think of you.
spoken:　　**Em⁹**　　　　　　　　　　　**Bm⁷**
　And I always remember that day in May,
　　　　　　　　　　　　Em⁹
When I saw you walking in the rain.
　　　　　　　　Bm⁷
I know not what it was nor why,
　　　　　　Em⁹
For usually I'm quite shy.
　　Bm⁷
I said, "Let's go back to my place for some coffee,"
Em⁹
You frowned and said, "Why, kiss me batty."
Bm⁷　　　　　　　　**Em⁹**
　I fell so ashamed, I did not even notice,
　　　　　　　　　Bm⁷　　| **Em⁹** | **Bm⁷** ‖
When your bus came and went again.

Chorus 3
(sung)

          A   E
Now I'm standin' in the rain in vain, Loraine,

A   E
Hoping to see you a - gain,

          A   E
Tears fall from me eyes like rain, Loraine,

      A   E
A terrible pain in me brain, Loraine,

          A   E
You're drivin' me insane, Lo - raine, Loraine.

Outro

            A | E   ‖
Lo - raine.

‖: N.C.(A) | N.C.(E)   :‖ *Play 3 times*

| A | D E* D E* | A | E |

| A | D E* D E* | A | E |

‖: A | E D E* | A | E   :‖

Repeat ad lib. to fade

Long Shot (Kick De Bucket)

Words & Music by
George Agard, Sydney Crooks & Loren Robinson

Intro

| G | C | G | C | |

| G | C | G | C | ‖
(What a)

Verse 1

(C)   G   C   G   C
What a weepin' and wailin' down at Caymanas park.

        G   C   G
What a weepin' and wailin' down at Caymanas park.

C   G   C
Long Shot - him kick de bucket,

        G
Long Shot kick de bucket.

Verse 2

       G   C
Get up, get up in the first race,

         G   C
And them pull up the pace.

       G   C
Get up, get up in the first race,

         G
And them pull up the pace.

        C   G   C
And Long Shot - him kick de bucket,

        G   C
Long Shot kick de bucket.

Versse 3

        G   **C**
Them wail, them wail, them reel,
             G   **C**
But they couldn't take the trail.
        G   **C**
Them wail, them wail, them reel,
             G
But they couldn't take the trail.
     C   **G**   **C**
And Long Shot - him kick de bucket,
          G   **C**
Long Shot kick de bucket.

Instr

| **G** | **C** | **G** | **C** | |

| **G** | **C** | **G** | **C** ‖
                     (It was)

Versse 4

(C) **G**   **C**   **G**   **C**
It was Starbright, Combat, Corazon, Long Shot on the rail.
     G   **C**   **G**   **C**
It was Starbright, Combat, Corazon, Long Shot on the rail.
        G **C**   **G** **C**
Combat fell, Long Shot fell,
             G   **C**
All we money gone a hell,
             G
All we money gone a hell,
     C   **G**   **C**
And Long Shot - him kick de bucket,
          G   **C**
Long Shot kick de bucket.
          G   **C**
Long Shot kick de bucket.
          G
Long Shot kick de bucket.   *To Fade*

Love Of The Common People

Words & Music by
John Hurley & Ronnie Wilkins

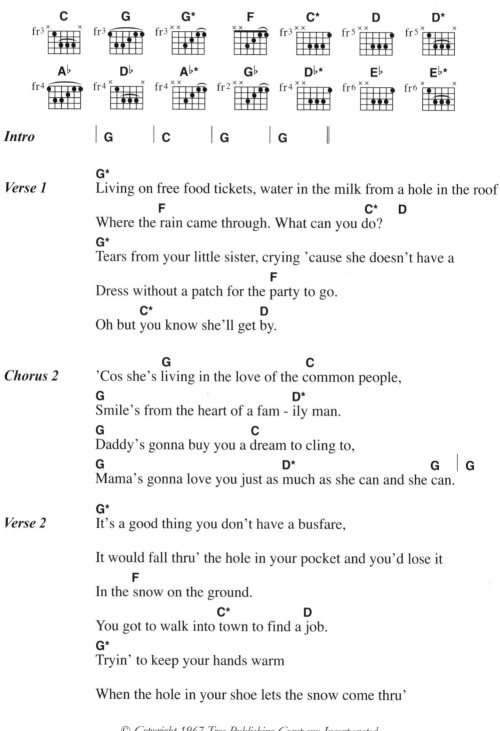

Intro | G | C | G | G   ‖

Verse 1

G*
Living on free food tickets, water in the milk from a hole in the roof
        F   C*   D
Where the rain came through. What can you do?
G*
Tears from your little sister, crying 'cause she doesn't have a

                            F
Dress without a patch for the party to go.
      C*   D
Oh but you know she'll get by.

                  G   C
Chorus 2   'Cos she's living in the love of the common people,
G   D*
Smile's from the heart of a fam - ily man.
G   C
Daddy's gonna buy you a dream to cling to,
G   D*   G | G
Mama's gonna love you just as much as she can and she can.

Verse 2

G*
It's a good thing you don't have a busfare,

It would fall thru' the hole in your pocket and you'd lose it
        F
In the snow on the ground.
                      C*   D
You got to walk into town to find a job.
G*
Tryin' to keep your hands warm

When the hole in your shoe lets the snow come thru'

        F
And chills you to the bone.

                   C*   **D**
Now you'd better go home where it's warm.

Chorus 2

               G   **C**
Where you can live in a love of the common people,
G   **D***
Smile from the heart of a family man.
G   **C**
Daddy's gonna buy you a dream to cling to,
G   **D***   **G** | **G**   ‖
Mama's gonna love you just as much as she can and she can.

Link 1   ‖: **A♭** | **D♭** | **A♭** | **A♭**   :‖

Verse 3

A♭*
Living on a dream ain't easy but the closer the knit the tighter the fit
       G♭   **D♭***   **E♭**
And the chills stay away. You take 'em in stride for family pride.
A♭*
You know that faith is in your foundation

And with a whole lot of love and a warm conversation
      G♭   **D♭***   **E♭**
But don't forget to pray. Making it strong were you belong.

Chorus 3

               A♭   **D♭**
And we're living in the love of the com - mon people,
A♭   **E♭***
Smile's from the heart of a family man.
A♭   **D♭**
Daddy's gonna buy you a dream to cling to,
A♭   **E♭**   **A♭**
Mama's gonna love you just as much as she can and she can.

Chorus 4

A♭   **D♭**
Living in the love of the com - mon people,
A♭   **E♭***
Smiles from the heart of a family man.
A♭   **D♭**
Daddy's gonna buy you a dream to cling to,
A♭   **E♭**   **A♭**
Mama's gonna love you just as much as she can and she can. *To fade*

Love Won't Come Easy

Words & Music by
Jackie Mittoo & Leroy Sibbles

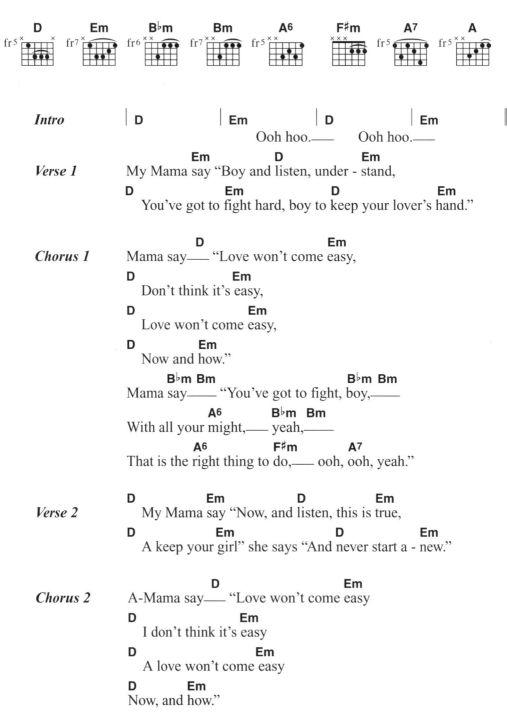

Intro | D | Em | D | Em ‖

                   Ooh hoo.——   Ooh hoo.——

                        Em   D   Em

Verse 1   My Mama say "Boy and listen, under - stand,

                    D   Em   D   Em

                    You've got to fight hard, boy to keep your lover's hand."

                               D   Em

Chorus 1   Mama say—— "Love won't come easy,

                    D   Em

                    Don't think it's easy,

                    D   Em

                    Love won't come easy,

                    D   Em

                    Now and how."

                        B♭m Bm   B♭m Bm

                  Mama say—— "You've got to fight, boy,——

                         A⁶   B♭m Bm

                  With all your might,—— yeah,——

                      A⁶   F♯m   A⁷

                  That is the right thing to do,—— ooh, ooh, yeah."

                    D   Em   D   Em

Verse 2   My Mama say "Now, and listen, this is true,

                    D   Em   D   Em

                    A keep your girl" she says "And never start a - new."

                               D   Em

Chorus 2   A-Mama say—— "Love won't come easy

                    D   Em

                    I don't think it's easy

                    D   Em

                    A love won't come easy

                    D   Em

                    Now, and how."

cont.

       B♭m Bm   A⁶ B♭m Bm

Mama say—— "Boy, you've got to fight——

               A⁶   B♭m Bm

A with all your might,—— yeah——

           A⁶   F♯m   A⁷

That is the right thing to do ooh hoo,—— oh hoo—— yeah."

Link 1

‖: D | Em | D | E :‖   Em

                           ⌐1, 2.   ⌐3.

Chorus 3

               Bm   A⁶

A Mama say "Boy, you've got to fight, yeah,

Bm   A⁶   A⁶

  A - with all your might now,

Bm   A⁶   F♯m   A⁷

  That is the right thing to do,—— ooh ooh, oh no."

Link 2

‖: D | Em | D | E :‖   *Play 3 times*

Chorus 4

D   Em D   Em

  A love won't come easy, now, and how,

      B♭m Bm   A⁶ B♭m Bm

Mama say—— "Boy, you've got to fight,——

              A⁶   B♭m Bm

A with all your might,—— yeah,——

           A⁶   F♯m   A⁷

That is the right thing to do, ooh hoo,——oh hoo,—— yeah."

Link 3

‖: D | Em | D | E :‖   *Play 3 times*

| Bm | A⁶ | Bm | A⁶ |

| Bm | A⁶ | F♯m | A⁷ ‖

Outro

     D   Em

‖: A love won't come easy,

D   Em

  I don't think it's easy,

D   Em

  A love won't come easy,

D   Em

Now, and how. My Mama say... :‖ *Repeat to fade*

Madness

Words & Music by
Cecil Campbell

C F G C7 B♭ A Dm D7

Intro | C | F | C | C G ‖

Verse 1
C   F   C   C7
Madness, madness, they call it madness.
F   C   C7
Madness, madness, they call it madness.
F   C   B♭   A
It's plain to see that is what they mean to me.
Dm   G   C   G
Madness, madness, I call it madness.

Verse 2
C   F   C   C7
Madness, madness, they call it madness.
F   C   C7
Madness, madness, they call it madness.
       F   C   B♭   A
I'm a - bout to explain that someone is using his brain.
Dm   G   C
Madness, madness, they call it madness.

Trumpet solo | C | F | C | C7 |
| F | F | C | C7 |
| F | F | C B♭ | A |
| Dm | G | C | C7 ‖

Bridge

         F   C   C7
Propa - ganda ministers, propa - ganda mini - sters.

      F
I've got an aim in view,

      D7   G
I'm gonna walk all over you.

Verse 3

      C   F   C   C7
'Cos madness, madness, I call it gladness.

      F   C   C7
But if this is madness, man I know I'm filled with gladness.

      F   C   B♭ A
It's gonna be rougher, it's gonna be tougher.

Dm   G   C
And I won't be the one who's gonna suffer.

Outro

     Dm   G   C   C7
Oh no, I won't be the one who's gonna suffer.

     Dm   G   C
You are gonna be the one who's gonna suffer.   *To Fade*

Many Rivers To Cross

Words & Music by
Jimmy Cliff

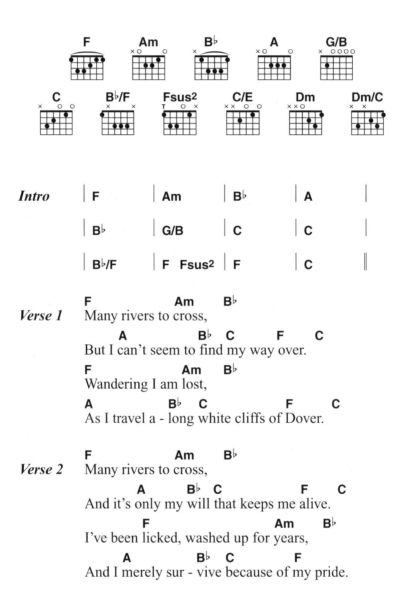

Intro | F | Am | B♭ | A |

| B♭/F | G/B | C | C |

| B♭/F | F Fsus2 | F | C   ‖

Verse 1

F   Am   B♭
Many rivers to cross,

     A   B♭ C   F   C
But I can't seem to find my way over.

F   Am   B♭
Wandering I am lost,

A   B♭ C   F   C
As I travel a - long white cliffs of Dover.

Verse 2

F   Am   B♭
Many rivers to cross,

     A   B♭ C   F   C
And it's only my will that keeps me alive.

       F   Am   B♭
I've been licked, washed up for years,

     A   B♭ C   F
And I merely sur - vive because of my pride.

Bridge

B♭   F   B♭
But I, loneliness won't leave me alone,
          F   B♭
It's such a drag to be on your own.
          F   C/E Dm Dm/C B♭
My woman left and she didn't say why,
          C
Well, I guess I'll have to cry.

Verse 3

F   Am B♭
Many rivers to cross,
    A   B♭ C   F C
But just where to be - gin, I'm playing for time.
       F   Am B♭
There've been times I find my - self
    A   B♭ C F   C
Thinking of commit - ting some dreadful crime.

Verse 4

      F   Am B♭
Yes, I've got many rivers to cross,
    A   B♭ C   F   C
But I can't seem to find my way over.
F   Am B♭
Wandering, I am lost,
    A   B♭ C   F
As I travel a - long white cliffs of Dover. *To Fade*

Midnight Rider

Words & Music by
Gregg Allman & Robert Payne

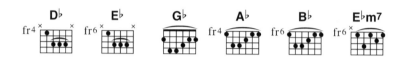

Intro   ‖: D♭ E♭ G♭ | A♭ | B♭ | B♭   :‖

Verse 1
                            B♭
I've got to run to keep from hiding,

And I'm bound to keep on riding.

I've got one more silver dollar.

Chorus 1
           E♭m7
And I ain't gonna let 'em catch me, no,
A♭   **B♭**
Ain't gonna let 'em catch the Midnight Rider.
           E♭m7
And I ain't gonna let 'em catch me, no,
A♭   **B♭**
Ain't gonna let 'em catch the Midnight Rider.

Verse 2
                            B♭
I don't own the clothes I'm wearing,

And the road goes on forever.

I've got one more silver dollar.

Chorus 2   As Chorus 1

Guitar solo | B♭ | B♭ | B♭ | B♭ |

| B♭ | B♭ | B♭ | B♭ |

| B♭ | B♭ | B♭ | B♭ |

| E♭m⁷ | E♭m⁷ | A♭ | A♭ |

| B♭ | B♭ | B♭ | B♭ |

| E♭m⁷ | E♭m⁷ | A♭ | A♭ |

| B♭ | B♭ | B♭ | B♭   ‖

B♭

Verse 3   Yes I'm past the point of caring,

Someone's bed I'll soon be sharing.

I've got one more silver dollar.

E♭m⁷

Chorus 3   ‖: And I ain't gonna let 'em catch me, no,
A♭   B♭
Ain't gonna let 'em catch the Midnight Rider.
E♭m⁷
And I ain't gonna let 'em catch me, no,
B♭   B♭
Ain't gonna let 'em catch the Midnight Rider. :‖   *Repeat to fade*

Money In My Pocket

Words & Music by
Joe Gibbs & Dennis Brown

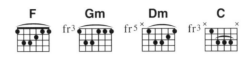

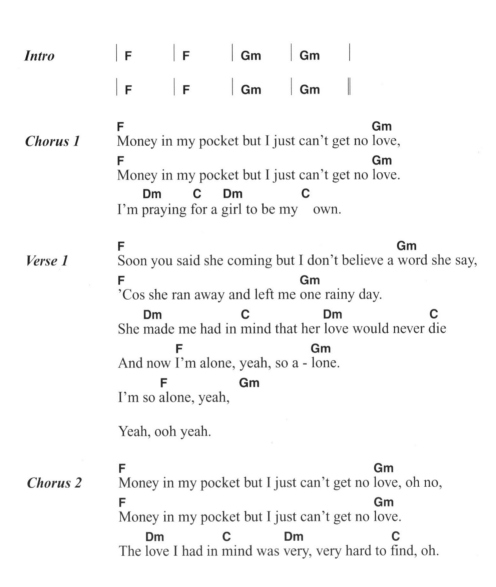

Intro
| F | F | Gm | Gm |

| F | F | Gm | Gm ‖

Chorus 1

F   Gm
Money in my pocket but I just can't get no love,
F   Gm
Money in my pocket but I just can't get no love.
    Dm   C   Dm   C
I'm praying for a girl to be my   own.

Verse 1

F   Gm
Soon you said she coming but I don't believe a word she say,
F   Gm
'Cos she ran away and left me one rainy day.
    Dm   C   Dm   C
She made me had in mind that her love would never die
         F   Gm
And now I'm alone, yeah, so a - lone.
        F   Gm
I'm so alone, yeah,

Yeah, ooh yeah.

Chorus 2

F   Gm
Money in my pocket but I just can't get no love, oh no,
F   Gm
Money in my pocket but I just can't get no love.
    Dm   C   Dm   C
The love I had in mind was very, very hard to find, oh.

Verse 2

       F   Gm
It's hard for a man to live without a woman, yeah

F   Gm
And a woman needs a man to cling to.

        Dm   C   Dm   C
You'll see what love can do after making me feel blue.

      F   Gm
Ain't that a shame, yeah, whoa baby.

           F
Ain't that a shame, yeah,

           Gm
To make me feel blue, ooh yeah.

Link | F | F | Gm |

                        F   Gm
I've got money in my pocket, yeah, yeah, whoa yeah, ooh yeah.

Chorus 3   As Chorus 2

Verse 3   As Verse 2

Chorus 4

F   Gm
Money in my pocket but I just can't get no love, oh no,

F   Gm
Money in my pocket but I just can't get no love.

      F   Gm   F
The love I had in mind   was very, very hard to find, yeah.

Outro

          Gm
Ain't that a shame,

         F   Gm
Ain't that a shame.   *To Fade*

Monkey Man

Words & Music by
Frederick 'Toots' Hibbert

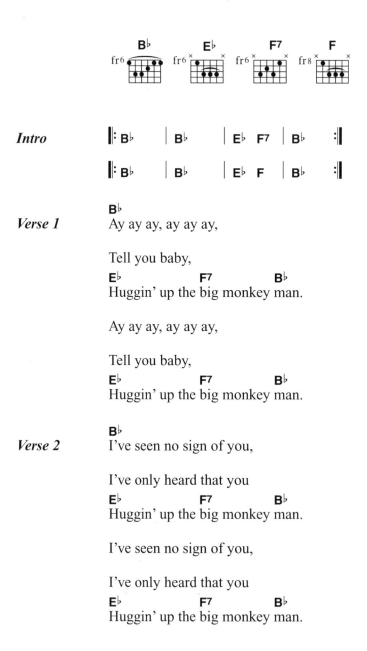

Intro   ‖: B♭ | B♭ | E♭ F7 | B♭ :‖

‖: B♭ | B♭ | E♭ F | B♭ :‖

Verse 1

B♭
Ay ay ay, ay ay ay,

Tell you baby,
E♭   F7   B♭
Huggin' up the big monkey man.

Ay ay ay, ay ay ay,

Tell you baby,
E♭   F7   B♭
Huggin' up the big monkey man.

Verse 2

B♭
I've seen no sign of you,

I've only heard that you
E♭   F7   B♭
Huggin' up the big monkey man.

I've seen no sign of you,

I've only heard that you
E♭   F7   B♭
Huggin' up the big monkey man.

Verse 3

B♭
Is not lie, is not lie,

Them a tell me,
E♭   **F**   **B♭**
Huggin' up the big monkey man.

Is not lie, is not lie,

Them a tell me,
E♭   **F**   **B♭**
Huggin' up the big monkey man.

Verse 4

B♭
Now I know that, now I understand,
    E♭   **F**   **B♭**
You turnin' a monkey on me.

Now I know that, now I understand,
    E♭   **F**   **B♭**
You turnin' a monkey on me.

Verse 5   As Verse 1

Verse 6   As Verse 2

Verse 7   As Verse 3

Verse 8   As Verse 4

Instr.   ‖: **B♭** | **B♭** | **E♭ F** | **B♭** :‖ *Play 4 times*

Verse 9   As Verse 1

Verse 10   As Verse 2

Verse 11   As Verse 3 *To Fade*

Moon Hop

Words & Music by
Derrick Morgan

Intro

| Drums ‖: Yeah, yeah, yeah, yeah, yeah,– yeah,– yeah,– yeah, yeah

G   C   G   C

| G | C | G | C   ‖

Ow!   Ow!

Verse 1

G
Do the moon hop,
G   **C**
Do the moon hop,
              G   **C**
Mix it with the conga groove, jump,
              G   **C**
Mix it with the conga groove, jump.

| G | C | G | C |

Chorus 1

                      G
Yeah, yeah, yeah, yeah, yeah,– yeah,–
C   **G**
Yeah,– yeah, yeah, ye-ah, yay-ya,
C   **G**
  Ah yeah, yeah, yeah, yeah, yeah,–
C   **G**
Yeah, yeah, yeah, ye-ah yay-ya
C **G** **C**
Ooh - hoo.–

Verse 2

              G   **C**
Mix it with the conga groove (jump),
              G   **C**
Mix it with the conga groove,
              G   **C**
Mix it with the conga groove.

|G |C

cont.   That's it!

|G |C
   You're doin' fine baby.   Yow!

|G |C
    Put your right foot out now.   yeah,! Shake your

|G |C |G |C
  hip. That's it.   Wow!

                             G

Chorus 2   yeah, yeah, yeah, yeah, yeah,__ yeah,__

                C   G |C |G |C
            yeah,__ yeah, yeah, yeah, yeah, yay - ya. Ow.

                 G   C   G   C

Verse 3   Ooh, ooh,__ this is a new dance,

                 G   C   G   C
           Ooh, ooh,__ this is a new dance,

                       G   C
           C'mon and jump and prance,

                       G   C
           C'mon and jump and prance.

                            G

Chorus 3   yeah, yeah, yeah, yeah, yeah,__ yeah,__

            C   G | C
           yeah,__ yeah, yeah, yeah, yeah, yeah, yay-ya. Ah!

|G |C |G |C
  with ad lib. vocal

|G |C |G |C
                           G
  yeah, yeah, yeah, yeah, yeah,__ yeah,__

  C   G |C
  yeah,__ yeah, yeah, yeah, yeah, yay-ya.

                G   C

Verse 4   Do the moon hop,

                 G   C
           Do the moon hop,

                    G   C
           Mix it with the conga groove, jump,

                    G   C
           Mix it with the conga groove, jump. Yow!

Outro   ‖: G |C |G |C   :‖ *Repeat ad lib.*
               That's it baby,   keep it going.   Ow!   *to fade*

My Boy Lollipop

Words & Music by
Morris Levy & Johnny Roberts

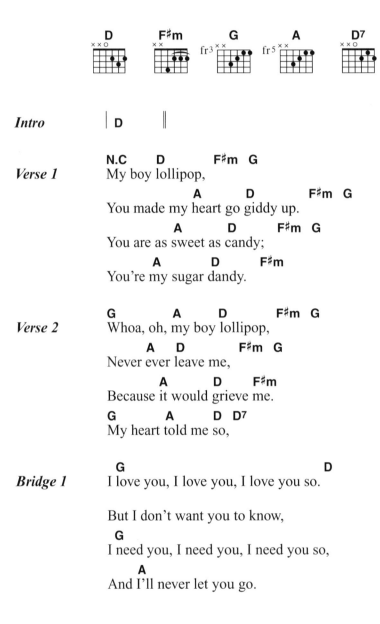

Intro | D   ‖

Verse 1

N.C   D   F♯m G
My boy lollipop,

　　　　　　　　A   D   F♯m G
You made my heart go giddy up.

　　　　　　A   D   F♯m G
You are as sweet as candy;

　　　　A   D   F♯m
You're my sugar dandy.

Verse 2

G   A   D   F♯m G
Whoa, oh, my boy lollipop,

　　　　A   D   F♯m G
Never ever leave me,

　　　　A   D   F♯m
Because it would grieve me.

G   A   D   D7
My heart told me so,

Bridge 1

　　　G   D
I love you, I love you, I love you so.

But I don't want you to know,

　G
I need you, I need you, I need you so,

　　A
And I'll never let you go.

	D F♯m G
Verse 3	My boy lollipop,
	A D F♯m G
	You make my heart go giddy up.
	A D F♯m G
	You set my world on fire,
	A D F♯m
	You are my one de - sire.
	G A (D)
	Oh my lolli - pop.

Solo

| D F♯m | G A | D F♯m | G A |

| D F♯m | G A | D | D⁷ ‖

Bridge 2   As Bridge 1

Verse 4   As Verse 3

Outro

F♯m G   A   D   F♯m
     Oh my lolli - pop.
G   A   D   F♯m
My boy lolli - pop.
G   A   D   F♯m
My boy lolli - pop.
G   A   D
My boy lolli - pop.   *To Fade*

Night Nurse

Words & Music by
Gregory Isaacs & Sylvester Weise

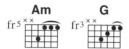

Intro ‖: Am | Am | G | G :‖

(1°) Ah.——

Verse 1

Am
Tell her try your best just to make it quick,
G   Am   G
    Come and tend to the sick.

Am
'Cos there must be something she can do,
G   Am   G
    This heart is broken in two.

Am
Tell her it's a case of emergency,
G   Am   G
    There's a patient by the name of Gregory.

Chorus 1

Am   G
Night nurse,

Am   G
Only you alone can quench this 'ere thirst.

Am   G
My night nurse, oh gosh,

Am   G
Oh, the pain it's getting worse.

Verse 2

     Am
I don't wanna see no doc,

G   **Am**   **G**
   I need attendance from my nurse a - round the clock.

         Am
'Cos there's no prescription for me,

G   **Am**   **G**
   She's the one, the only remedy.

Chorus 2

      Am   **G**
Night nurse,

                    Am   **G**
Only you alone can quench this 'ere thirst.

        Am   **G**
My night nurse,

               Am
Oh, the pain it's getting worse.

G
   I'm hurt my love.

Link 1

‖: **Am** | **Am** | **G** | **G**   :‖
                                   (1°) Ah.——

Verse 3   As Verse 2

Chorus 3   As Chorus 2

Outro

| **Am** | **Am** | **G** | **G** |
                           And I'm sure

| **Am** | **Am** | **G** | **G**   ‖
                       No doctor can cure.

‖: **Am** | **Am** | **G** | **G**   :‖
                                (2°) Night

‖: **Am** | **Am** | **G** | **G**   :‖ *Repeat to fade*
  Nurse.   *(2°)* (Oh, gosh)   Night…

No Woman, No Cry

Words & Music by
Vincent Ford

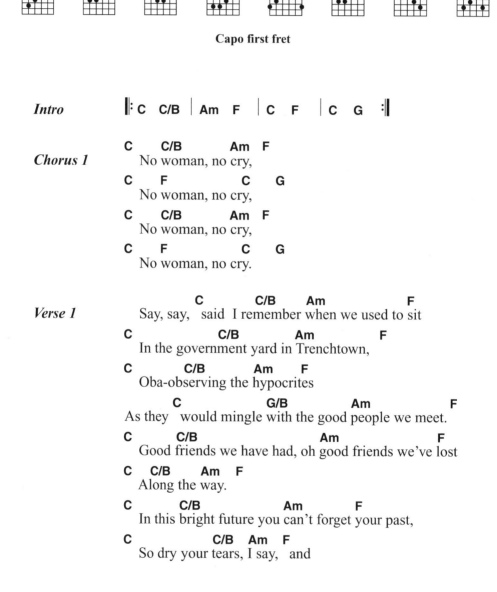

Capo first fret

Intro   ‖: C C/B | Am F | C F | C G :‖

Chorus 1

C   C/B   Am   F
No woman, no cry,

C   F   C   G
No woman, no cry,

C   C/B   Am   F
No woman, no cry,

C   F   C   G
No woman, no cry.

Verse 1

                C   C/B   Am   F
Say, say,   said I remember when we used to sit

C   C/B   Am   F
In the government yard in Trenchtown,

C   C/B   Am   F
Oba-observing the hypocrites

           C   G/B   Am   F
As they   would mingle with the good people we meet.

C   C/B   Am   F
Good friends we have had, oh good friends we've lost

C   C/B   Am   F
Along the way.

C   C/B   Am   F
In this bright future you can't forget your past,

C   C/B Am F
So dry your tears, I say,   and

Chorus 2

```
       C    C/B         Am  F
       No woman, no cry,
       C    F           C    G
       No woman, no cry,
       C    C/B         Am          F
       Here  little darlin',   don't shed no tears,
       C    F           C    G
       No woman, no cry.
```

Verse 2

```
                  C           C/B  Am              F
       Said, said,   said I remember when we used to sit
       C           C/B          Am           F
       In the government yard in Trenchtown,
       C           C/B          Am           F
       And then Georgie would make the fire light
                  C          C/B               Am      F
       As it was   log wood burnin' through the night.
       C                C/B         Am               F
       Then we would cook corn meal porridge
       C                C/B        Am    F
       Of which I'll share with you.
       C    C/B         Am      F
       My feet is my only carriage
       C           C/B           Am     F
       So I've got to push on through.
```

Bridge

```
        C                        C/B
‖:     Ev'rything's gonna be alright,
  Am                    F    G
       Ev'rything's gonna be alright. :‖    Play 4 times
```

Chorus 3

```
        C                  C/B  Am  F
       No woman, no cry, —
              C          F          C    G
       No, no woman, no woman, no cry.
       C           C/B   Am             F
       Oh, little sister, don't shed no tears,
       C    F           C    G
       No woman, no cry.
```

Solo

```
‖: C   C/B │ Am   F │ C   F │ C   G :‖    Play 4 times
```

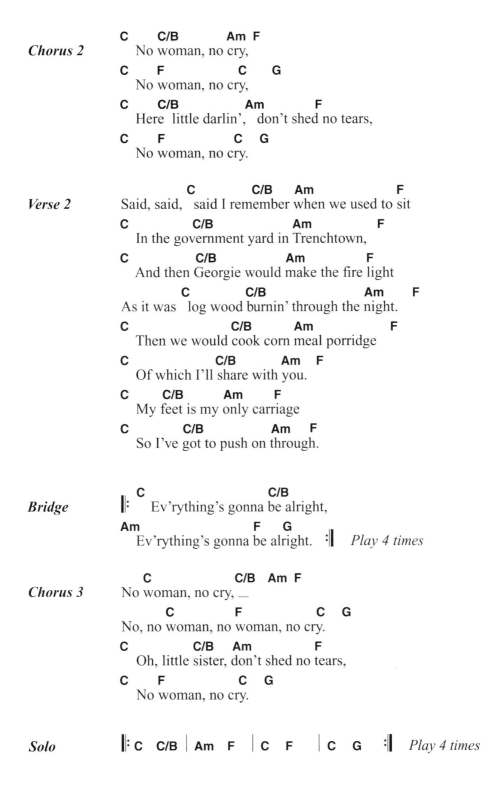

Verse 3

                 C   G/B   Am   F
Said, said,   said I remember when we used to sit

C   G/B   Am   F
In the government yard in Trenchtown,

C   G/B   Am   F
And then Georgie would make the fire light

                C   G/B   Am   F
As it was   log wood burnin' through the night.

C   G/B   Am   F
Then we would cook corn meal porridge

C   G/B   Am F
Of which I'll share with you.

C   G/B   Am   F
My feet is my only carriage

C   G/B   Am
So I've got to push on through,

   F   G
But while I'm gone I mean.

Chorus 4

C   G/B   Am F
No woman, no cry,

C   F   C   G
No woman, no cry,

C   G/B   Am   F
Oh c'mon little darlin', say don't shed no tears,

C   F   C   G
No woman, no cry,   yeah!

Chorus 5

C   G/B   Am   F
(Little darlin', don't shed no tears,

C   F   C   G
No woman, no cry.

C   F   C   C
Little sister, don't shed no tears,

   F   C   G
No woman, no cry.)

Coda

| C G/B | Am F | C F | C G |

| C G/B | Am F | C F Em Dm | Cadd⁹ ‖

One In Ten

Words & Music by
UB40

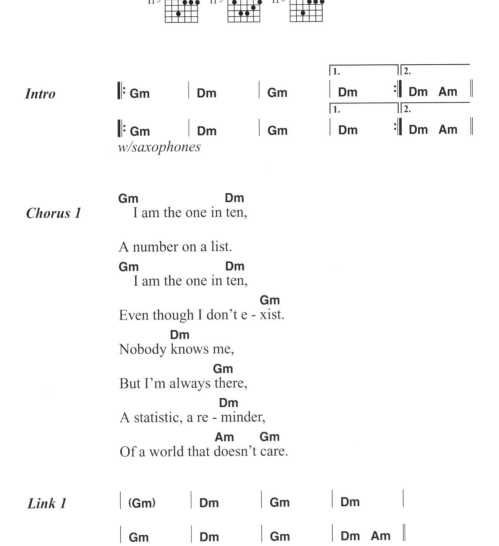

Intro   ‖: Gm | Dm | Gm | Dm :‖ Dm Am ‖
(1.) (2.)

‖: Gm | Dm | Gm | Dm :‖ Dm Am ‖
w/saxophones
(1.) (2.)

Chorus 1

Gm   Dm
  I am the one in ten,

A number on a list.
Gm   Dm
  I am the one in ten,
                          Gm
Even though I don't e - xist.
          Dm
Nobody knows me,
                Gm
But I'm always there,
              Dm
A statistic, a re - minder,
                    Am   Gm
Of a world that doesn't care.

Link 1 | (Gm) | Dm | Gm | Dm |

| Gm | Dm | Gm | Dm Am ‖

Verse 1

Gm
My arms enfold the dole queue,

Dm
Malnu - trition dulls my hair.

Gm
My eyes are black and lifeless,

Dm
With an underprivileged stare.

Gm
I'm the beggar on the corner,

Dm
Will no-one spare a dime?

Gm
I'm the child that never learns to read,

Dm   **Am**   **Gm**
'Cos no-one spared the time.

Chorus 2   As Chorus 1

Link 2   As Link 1

Verse 2

Gm
I'm the murderer and the victim,

Dm
The licence with the gun.

Gm
I'm a sad and bruised old lady,

Dm
In an alley in a slum.

Gm
I'm a middle aged businessman,

Dm
With chronic heart disease.

Gm
I'm an - other teenaged suicide,

Dm   **Am**   **Gm**
In a street that has no trees.

Chorus 3   As Chorus 1

Link 3   As Link 1

Verse 3

      Gm
I'm a starving third world mother,

        Dm
A refu - gee without a home.

      Gm
I'm a housewife hooked on valium,

        Dm
I'm a pensioner alone.

      Gm
I'm a cancer ridden spectre,

        Dm
That's covering the earth.

      Gm
I'm an - other hungry baby,

    Dm   Am   Gm
I'm—— an acci - dent of birth.

Chorus 4   As Chorus 1

Link 4   As Link 1

   Gm   Dm
Chorus 5   I am the one in ten,

A number on a list.

Gm   Dm
  I am the one in ten,

             Gm
Even though I don't e - xist.

      Dm
Nobody knows me,

        Gm
But I'm always there.

        Dm   N.C.
A statistic, a re - minder,

Of a world that doesn't care.

Outro   ‖: Gm | Dm | Gm | Dm :‖ *Repeat to fade*

Oh Carolina

Words & Music by
John Folkes

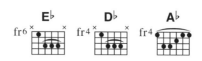

Intro | E♭ | D♭ | E♭ A♭ | E♭   ‖

Chorus 1
                    A♭
Oh Caro - lina,

Oh Carolina,
                    E♭   **D♭**
Oh Caro - lina, honey darling,
                              A♭
Oh don't you know the time?

Verse 1
          A♭
Oh when she love me,
                    E♭
It makes you lonely.

Oh makes you lonely Carolina,
D♭   **A♭**
Why did you leave me now?

Bridge 1
          A♭   **D♭**
Carolina my darling,
                              A♭
All my love's for you.
D♭   **A♭**
Carolina my honey,
          E♭
You know I love only you.

	A♭
Chorus 2	Oh Caro - lina,

Oh Carolina,

   E♭   **D♭**
Oh Caro - lina, can't believe her,

          A♭
Come back and make things right.

Piano Solo | **A♭** | **A♭** | **A♭** | **A♭** |

        | **D♭** | **D♭** | **A♭** | **A♭** |

        | **E♭** | **D♭** | **A♭** | **A♭** ‖

A♭
Bridge 2 Carolina my darling,
A♭
All my love's for you.
D♭
Carolina my honey,
  E♭
You know I love only you.

     A♭
Chorus 3 Oh Caro - lina,

Oh Carolina,

    E♭   **D♭**
Oh Caro - lina, can't believe her,

        A♭
Come back and make things right.

     E♭   **D♭**
Outro ‖: Oh Caro - lina, can't believe her,

      A♭
Come back and make things right. :‖ *Repeat to fade*

OK Fred

Words & Music by
John Holt, Monty Babson & Terry Cramer

C   Am   Dm   G

fr8   fr5   fr5   fr3

Intro | C Am | Dm G | C Am | Dm G ‖

Chorus 1

C Am Dm   G
O.K. Fred, now you're a yaga yaga,

C Am Dm G
O.K. Fred, bully for you,

C Am Dm   G
O.K. Fred, now you're a yaga yaga,

C   Am   G
  I wanna be one too.——

Chorus 2

C Am Dm   G
O.K. Fred, now I'm a yaga yaga,

C Am Dm   G
O.K. Fred, what do I do?

C Am Dm   G
O.K. Fred, now I'm a yaga yaga,

C   Am   G
  I am just like you.—— She say...

Verse 1

C   Am   Dm G
  Like the way that you do—— it,

C   Am   Dm G
  When you do it on the quit,—— she say,

C   Am   Dm G
  Like the way that you move,——

C   Am   G
  I like the way that you groove. She say...

| *Chorus 3* | As Chorus 1 |

| *Chorus 4* | As Chorus 2 |

Interlude ‖: C Am │ Dm G │ C Am │ Dm G :‖
w/vocal ad lib.

│ C Am │ Dm G ‖

Chorus 5

C   Am Dm   G
O.K. Fred, now you're a yaga yaga,

C   Am Dm   G
O.K. Fred, bully for you,

C   Am   Dm G
  I like the way that you do it,

C   Am   Dm G
  When you do it on the quit. She say...

C   Am   Dm   G
  I like the way that you groove, darling,

C   Am   Dm   G
  I like the way that you move.— She say... *w/echo repeats*

Outro ‖: C Am │ Dm G │ C Am │ Dm G :‖ *Repeat ad lib. to fade*

Pass The Dutchie

Words & Music by
Jackie Mittoo, Lloyd Ferguson & Fitzroy Simpson

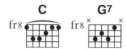

Intro

N.C.
Dis generation

Rules de nation

With version.

Music happens to be the food of love,

Sounds to really make you rub and scrub.

Link 1

         C   G7
San - budang, budang, bidillybump, bidilly - bump,
                                  C   G7
Bumpbidilly, bidilly, bidilly, bidilly, bidilly, bidilly bump I say

Chorus 1

    C   G7
 Pass the Dutchie on the left hand side,
             C   G7
(I say) Pass the Dutchie on the left hand side,
             C   G7
It a go burn, (give me music make me jump and prance),
             C   G7
It a go done, (give me the music make me rock in the dance).

Verse 1

       C   G⁷   C
It was a cool and lovely breezy after - noon,
                       G⁷
(How does it feel when you've got no food?)
          C   G⁷   C
You could feel it 'cos it was the month of June.
                       G⁷
(How does it feel when you've got no food?)
       C   G⁷   C
So I left my gate and went out for a walk,
                       G⁷
(How does it feel when you've got no food?)
       C   G⁷   C
As I pass the dreadlocks' camp I heard them say.
                       G⁷
(How does it feel when you've got no food?)

Chorus 2   As Chorus 1

Link 2

       C   G⁷
San - bung, bidillybump, bidilly - bump, bumpbump,
                       C   G⁷
Bidillybump, bidilly bidilly - bump, yeah.

Verse 2

       C   G⁷   C
So I stopped to find out what was going on.
                       G⁷
(How does it feel when you've got no food?)
       C   G⁷   C
'Cos the spirit of Jah, you know he leads you on,
                       G⁷
(How does it feel when you've got no food?)
          C   G⁷   C
There was a ring of dreads and a session was there in swing,
                       G⁷
(How does it feel when you've got no food?)
         C   G⁷   C
You could feel the chill as I seen and heard them say,
                       G⁷
(How does it feel when you've got no food?)

Chorus 3   As Chorus 1

Bridge 1

                C   **G⁷**
'Cos me say listen to the drummer, me say listen to the bass,

C   **G⁷**
Give me little music make me wind up me waist.

           C   **G⁷**
Me say listen to the drummer, me say listen to the bass,

C   **G⁷**
Give me little music make me wind up me waist, I say.

Chorus 4   As Chorus 1

Bridge 2

      C   **G⁷**   **C**   **G⁷**
You play it on the radio,   a so me say, we a go hear it on the stereo

                        C   **G⁷**
A so me know you a go play it on the disco

                     C   **G⁷**
A so me say we a go hear it on the stereo.

Chorus 5

N.C.
Pass the Dutchie on the left hand side,

(I say) Pass the Dutchie on the left hand side,

      C   **G⁷**
It a go burn, (give me the music make me jump and prance),

      C   **G⁷**
It a go done, (give me the music make me rock in the dance).

Outro

      G⁷   **C**
On the left hand side (I say)

      G⁷   **C**
On the left hand side (I say)

      G⁷   **C**
On the left hand side

      G⁷   **C**
On the left hand side

      G⁷
On the left hand side.

          C   **G⁷**
‖: Me say east, say west, say north and south

C   **G⁷**
This is gonna really make us jump and shout. :‖ *Repeat to fade ad li*

Pressure Drop

Words & Music by
Frederick 'Toots' Hibbert

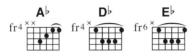

Intro

‖: A♭ | A♭ |

| D♭ | D♭ :‖

‖: A♭ | *(2°)* Hmm mmm,— E♭ |
mmm,— mmm, mmm,— mmm,

| A♭ | D♭ :‖
mmm,— yeah. Hmm mmm—

| A♭ | E♭ |
Mmm, — mmm, — mmm, —

| A♭ | D♭ ‖
—— yeah.

Verse 1

   A♭ E♭ D♭   A♭
It is you,——(oh yeah——)
   A♭ E♭   D♭   A♭
It is you,—— you (oh yeah——)
   A♭ E♭ D♭   A♭
It is you,——(oh yeah.——)

Chorus 1

      A♭   **E**♭
I say pressure drop, oh pressure,

         D♭   **A**♭
Oh, yeah pressure goin' to drop on you.

      A♭   **E**♭
I say a pressure drop, oh pressure,

         D♭   **A**♭
Oh, yeah pressure goin' to drop on you.

      A♭   **E**♭
I say and when it drops, oh you gonna feel it,

D♭   **A**♭
Know that you were doing wrong.

      A♭   **E**♭
I say and when it drops, oh you gonna feel it,

D♭   **A**♭
Know that you were doing wrong. Hmm mmm.

Link 1

‖: **A**♭ | **E**♭ |
Mmm,— mmm, mmm,—   mmm,

| **D**♭ | **A**♭   :‖
mmm,—   yeah.   Hmm mmm,

| **A**♭ | **E**♭ |
Mmm,— mmm mmm,—   mmm

| **D**♭ | **A**♭   ‖
mmm,—   yeah.

Chorus 2

      A♭   **E**♭
I say pressure drop, oh pressure,

         D♭   **A**♭
Oh, yeah pressure goin' to drop on you.

      A♭   **E**♭
I say a pressure drop, oh pressure,

         D♭   **A**♭
Oh, yeah pressure goin' to drop on you.

Verse 2   As Verse 1

Chorus 3

       A♭   **E♭**
I say pressure drop, oh pressure,

         D♭   **A♭**
Oh, yeah pressure goin' to drop on you.

       A♭   **E♭**
I say a pressure drop, oh pressure,

        D♭   **A♭**
Oh, yeah pressure goin' to drop on you.

        A♭   **E♭**
I say and when it drops, oh you gonna feel it,

D♭   **A♭**
Pressure, pressure, pressure, pressure,

A♭   **E♭**
Pressure drop, oh pressure, pressure,

D♭   **A♭**
Pressure, pressure, pressure.,

       A♭   **E♭**
I say a pressure drop, oh pressure

      D♭   **A♭**
Oh,——— pressure, pressure,

A♭   **E♭**
Pressure, pressure, pressure, pressure,

D♭   **A♭**
Pressure goin' to drop on you, you , you ba.

‖: **A♭** | **E♭** | **D♭** | **A♭** :‖ *Repeat w/ad lib. vocal to fade*

Police And Thieves

Words by Junior Murvin
Music by Lee 'Scratch' Perry

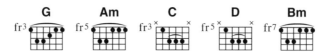

Intro ‖: G Am C D | G Am C D :‖

Chorus 1
G   Am
Police and thieves in the streets, oh yeah!
G   Am
Fighting the nation with their   guns and ammunition.
G   Am
Police and thieves in the streets, oh yeah!
G   Am
Scaring the nation with their   guns and ammunition.
G   Am
From Genesis,   to Revelations, yeah,
G   Am
The next generation   will be, hear me.

Verse 1
Bm   Am
And all the crowd comes in   day by day,
Bm   Am
No one tried to stop it   in anyway.
Bm   Am
All the peacemakers,   turn war officers,
C   D
Hear what I say, hey, hey, hey, hey, hey, hey, hey!

Chorus 2

    G   **Am**
Police and thieves in the streets, oh yeah!

    G   **Am**
Fighting the nation with their   guns and ammunition.

    G   **Am**
Police and thieves in the streets, oh yeah!

    G   **Am**
Scaring the nation with their   guns and ammunition.

Bridge

‖: **G** | **G** | **Am** | **Am**   :‖ *Play 3 times*
(w/ad lib vocal)

Verse 2   As Verse 1

Chorus 3   As Chorus 2

Outro

‖: **G**
Police and thieves,

Am
Police, police, police and thieves. :‖ *Repeat ad lib. to fade*

Redemption Song

Words & Music by
Bob Marley

G   C   Em   G/B   Am   D   D7/A

Intro   ‖: (G) | (C) (G) | (G) | (C) (G) :‖

Verse 1
```
    G                Em
Old pirates yes they rob I,
    C       G/B     Am
Sold I to the merchant ships,
    G                Em
    Minutes after they took I
    C       G/B       Am
    From the bottomless pit.
        G          Em
But my hand was made strong
    C     G/B        Am
    By the hand of the Almighty,
        G               Em
We forward in this generation
    C         D
    Triumphantly.
```

Chorus 1
```
                    G   C     D      G
Won't you help to sing   these songs of freedom?
        C   D       Em C   D    G
'Cos all I ever had:        redemption songs,
    C   D       G    C  D
    Redemption songs
```

Verse 2
```
        G                       Em
Emancipate yourselves from mental slavery,
            C       G/B   Am
None but ourselves can free our minds.
        G             Em
Have no fear for atomic energy
            C       G/B    Am
'Cos none of them can stop the time.
```

cont.

       G   Em
How long shall they kill our prophets
          C   G/B   Am
While we stand aside and look?
       G   Em
Some say it's just a part of it,
          C   G/B   D
We've got to fulfill the Book.

Chorus 2

                  G   C   D   G
Won't you help to sing   these songs of freedom?
        C   D   Em C   D   G
'Cos all I ever had: re - demption   songs,
C   D   G   C D   G   C D
   Redemption   songs, redemption   songs.

Solo

‖: Em | C   D | Em | C   D :‖

Verse 3

       G   Em
Emancipate yourselves from mental slavery,
            C   G/B   Am
None but ourselves can free our minds.
       G   Em
Have no fear for atomic energy
           C   G/B   Am
'Cos none of them can stop the time.
       G   Em
How long shall they kill our prophets
          C   G/B   Am
While we stand aside and look?
       G   Em
Some say it's just a part of it,
          C   G/B   D
We've got to fulfill the Book.

Chorus 3

                  G   C   D   G
Won't you help to sing,   these songs of freedom?
        C   D   Em C   D   G
'Cos all I ever had: redemption   songs.
C   D   Em C   D   Em
All I ever had: redemption songs,
C   D   G   C D   G
   These songs of freedom,   songs of freedom.

Coda

| C   G/B | Am | Am | D7/A | D7/A   ‖

Red, Red Wine

Words & Music by
Neil Diamond

Intro |(D) Â ‖

Verse 1
          D   G   Em
Red, red wine

A   D   G   Em
Goes to my head,

A   D   G
Makes me for - get that I,

                    D   A
Still need her so.

Verse 2
          D   G   Em
Red, red wine

A   D   G   Em
It's up to you.

A   D   G
All I can do, I've done,

                    D
Memories won't go,

A   D
   Memories won't go.

Middle 1
A   D
   I'd have thought that with time,

G   D
Thoughts of you'd leave my head.

      A   D
I was wrong; now I __ find

            G   A
Just one thing makes me for - get.

Verse 3

          D   **G** **Em**
Red, red wine

A   **D**   **Em**
Stay close to me; ___

A   **D**   **G**
Don't let me be alone.

              D
It's tearing a - part

A
  My blue, blue

Instrumental ‖: **D** | **G** | **D** | **G**   :‖
     heart.

Middle 2

A   **D**
  I'd have thought that with time,

G   **D**
Thoughts of you'd leave my head.

   A   **D**
I was wrong; now I __ find

     G   **A**
Just one thing makes me for - get.

Verse 3

          D   **G** **Em**
Red, red wine

A   **D**   **Em**
Stay close to me...   *To Fade*

Rivers Of Babylon

Words & Music by
Frank Farian, George Reyam, Brent Dowe & James McNaughton

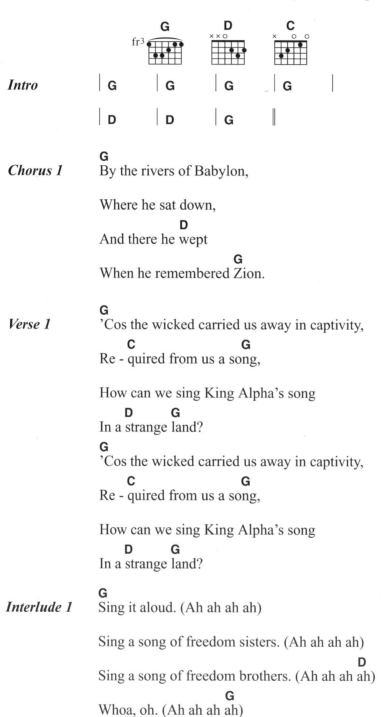

Intro

| G | G | G | G |
| D | D | G ‖

Chorus 1

G
By the rivers of Babylon,

Where he sat down,

D
And there he wept

G
When he remembered Zion.

Verse 1

G
'Cos the wicked carried us away in captivity,

C   **G**
Re - quired from us a song,

How can we sing King Alpha's song

D **G**
In a strange land?

G
'Cos the wicked carried us away in captivity,

C   **G**
Re - quired from us a song,

How can we sing King Alpha's song

D **G**
In a strange land?

Interlude 1

G
Sing it aloud. (Ah ah ah ah)

Sing a song of freedom sisters. (Ah ah ah ah)

D
Sing a song of freedom brothers. (Ah ah ah ah)

G
Whoa, oh. (Ah ah ah ah)

Interlude 2

G
(Ah ah ah ah) We're gonna sing and shout it.

(Ah ah ah ah) We're gonna jump and shout it, yeah, yeah.

D
(Ah ah ah ah) Shout the song of freedom now.

G
(Ah ah ah ah) Whoa, whoa, whoa.

Bridge 1

G   D
So, let the words of our mouth

                    G   D
And the medi - tations of our heart

         G   D
Be ac - ceptable in Thy sight.

              G
Oh, ver - ai.

                              D
So, let the words of our mouth

                    G   D
And the dedi - cation of our heart

         G   D
Be ac - ceptable in Thy sight.

              G
Oh, ver - ai.

Interlude 3

G
Sing it out loud. (Ah ah ah ah)

We got to sing it together. (Ah ah ah ah)

                                              D
We got to shout it it together, yeah, yeah. (Ah ah ah)

                    G
Whoa, oh. (Ah ah ah ah) Whoa, whoa, whoa.

Instrumental | G | G | G | G |

| D | D | G ||

Chorus 2   As Chorus 1

Outro
G
'Cos the wicked carried us away in captivity,

         C
Re - quired from us a song… *To Fade*

Rudy, A Message To You

Words & Music by
Robert Thompson

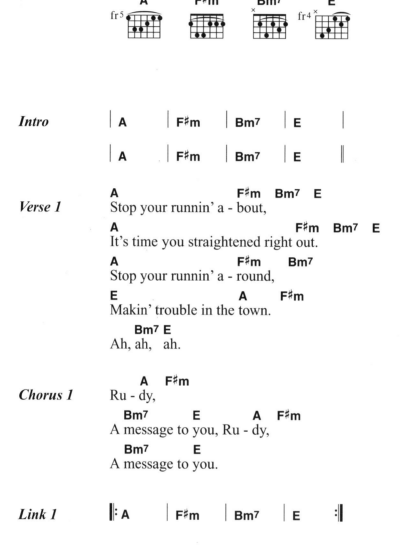

Intro

|A |F♯m |Bm7 |E |

|A |F♯m |Bm7 |E ||

Verse 1

A   F♯m Bm7 E
Stop your runnin' a - bout,

A   F♯m   Bm7   E
It's time you straightened right out.

A   F♯m Bm7
Stop your runnin' a - round,

E   A   F♯m
Makin' trouble in the town.

  Bm7 E
Ah, ah, ah.

Chorus 1

   A F♯m
Ru - dy,

 Bm7 E   A F♯m
A message to you, Ru - dy,

 Bm7 E
A message to you.

Link 1

||: A |F♯m |Bm7 |E   :||

Verse 2
        A   **F♯m Bm7 E**
You're growin' older each day,

        A   **F♯m Bm7 E**
You want to think of your future.

      A   **F♯m   Bm7**
Or you might wind up in jail.

       E   **A F♯m**
And you will suf - fer.

     Bm7 E
Ah, ah, ah.

Chorus 2   As Chorus 1

Link 2   ‖: **A** | **F♯m** | **Bm7** | **E**   :‖

Solo   ‖: **A** | **F♯m** | **Bm7** | **E**   :‖ *Play 8 times*

Verse 3   As Verse 1

Chorus 3   As Chorus 1

Outro   ‖: **A** | **F♯m** | **Bm7** | **E**   :‖ *Repeat to fade*

Satta Massagana

Words & Music by
Linford Manning, Donald Manning & Carl Dawkins

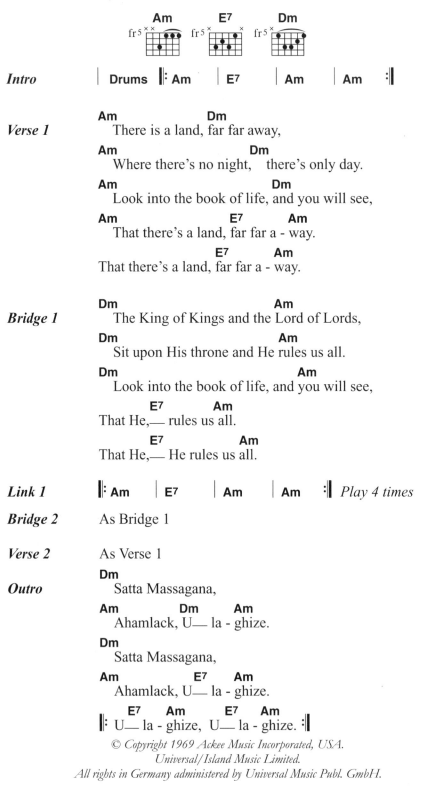

Intro

| | Drums |: Am | E7 | Am | Am :|

Verse 1

    Am   **Dm**
    There is a land, far far away,
    Am   **Dm**
    Where there's no night,   there's only day.
    Am   **Dm**
    Look into the book of life, and you will see,
    Am   **E7**   **Am**
    That there's a land, far far a - way.
              E7   **Am**
That there's a land, far far a - way.

Bridge 1

    Dm   **Am**
    The King of Kings and the Lord of Lords,
    Dm   **Am**
    Sit upon His throne and He rules us all.
    Dm   **Am**
    Look into the book of life, and you will see,
         E7   **Am**
That He,— rules us all.
         E7   **Am**
That He,— He rules us all.

Link 1

|: Am | E7 | Am | Am :| *Play 4 times*

Bridge 2   As Bridge 1

Verse 2   As Verse 1

Outro

    Dm
    Satta Massagana,
    Am   **Dm**   **Am**
    Ahamlack, U— la - ghize.
    Dm
    Satta Massagana,
    Am   **E7**   **Am**
    Ahamlack, U— la - ghize.
    E7   **Am**   **E7**   **Am**
|: U— la - ghize, U— la - ghize. :|

Soldiers

Words & Music by
Michael Riley, Basil Gabbidon, Ronnie McQueen, Selwyn Brown,
Stephen Nisbett, David Hinds & Alphonso Martin

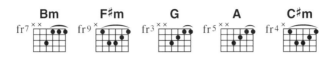

Intro | Drums ‖: Bm | F♯m | Bm | F♯m :‖

Chorus 1
    Bm   **F♯m**
Du - tallee!
    Bm   **F♯m**
Du - tallee!
    Bm   **F♯m**
Du - tallee!
    Bm   **F♯m**
Du - tallee!

Verse 1
    Bm   **F♯m**
And when soldiers came,
Bm   **F♯m**
   They say they come to make us tame.
       Bm   **F♯m**
And from that day till now on, now on,
Bm   **F♯m**
   We were jeered and laughed and scorned.
   Bm   **F♯m**
I - rie (before the soldiers came),
       Bm
Things used to be nice, so nice now.
         Bm   **F♯m**
Things used to be i - rie (before the soldiers came),
        Bm **F♯m**
Things used to be nice, so nice, so nice.

Bridge 1

G   A
Our country they did enter, yeah,

    G   A
Troops trodding left, right and centre, ev'rywhere.

G
  One moment at peace with nature, now,

Bm
Victims of a massacre, yeah, yeah.

G
We've got our spears, we've got our shields,

        Bm
But their guns were greater, prepare for a slaughter.

Link 1 | A | A | C♯m | C♯m |

               | C♯m | C♯m | C♯m | C♯m ‖

N.C. (Bm)   (F♯m)
Pre-Chorus 1 Give I back I witch doctor,

Bm   F♯m
Give I back I Black Ruler,

Bm   F♯m
  We no want no dictator, oh we no want no,

Bm   F♯m
  We no want no tyrant on yah.

           Bm   F♯m
Chorus 2   Du - tallee!

           Bm   F♯m
          Du - tallee!

           Bm   F♯m
          Du - tallee!

           Bm   F♯m
          Du - tallee!

Interlude   ‖: Bm | F♯m | Bm | F♯m   :‖ (G)
               w/ad lib vocals

Bridge 2
spoken:

     (G)   **A**
Way down in Africa,
G   **A**
Where the backra still rules day after day.
G   **(Bm)**
The Black Man is suffering now far more,

Than when he was a slave.
G   **Bm**
Is there a need for war? No,
                      A
Peace my bredren – hear them bawl.

Bodies in mutilated condition,
     C♯m
Faces scarred beyond recognition.

Is this what civilization means to me?

Then without it I prefer to be. So...

Pre-chorus 2
sung:

N.C. (Bm)   **(F♯m)**
Give I back I witch doctor,
Bm   **F♯m**
Give I back I Black Ruler, give I back,
Bm   **F♯m**
We no want no dictator, oh we no want no,
Bm   **F♯m**
Oh, we no want no tyrant on yah.

Outro

      Bm   **F♯m**
‖: Du - tallee!
     Bm   **F♯m**
Du - tallee!
     Bm   **F♯m**
Du - tallee!
     Bm   **F♯m**
Du - tallee!   :‖ *Repeat to fade*

She Don't Let Nobody

Words & Music by
Dino Fekaris & Curtis Mayfield

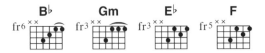

Intro

B♭
All day a-gwan and I run round the world,

Like I can't get my girl,

24-7, 48-4 Pliers and Chaka Demus back,

Watcha yo now star,

Step across.

Chorus 1

B♭
She don't let nobody,

She don't let nobody, no, no,

Gm
She don't let nobody,

She don't let nobody,

E♭
She don't let nobody,

          F
She don't let no - body,

    B♭
Nobody but me,

Nobody but me, ya.

Verse 1

B♭
Other guys try to hold her hand,

Other guys want a one night stand,
Gm
They all stay when she's around,

I'm so proud how she puts them down.
E♭
She don't let nobody, no, no,

            F
She don't let no-body,

         B♭
Nobody but me,

Nobody but me, ya.

Verse 2

B♭
I don't worry 'cos we're so tight,

See each other most every night,
Gm
She let me have the master key,

That's why I kissed her explicitly.
E♭
She don't let nobody,

          F
She don't let no - body,

       B♭
Nobody but me,

Nobody but me, ya.

Interlude 1   *All right my turn.*

        B♭
Only me alone, deh pon me girl mind,

Only me alone, make her love light shine,
       Gm
Only me alone, deh pon me girl mind,

Only me alone, make her love light shine.
         E♭
Me say   no pon a rush but dem get it bus,
               F
A only me alone I get me love up love up,
    B♭
Nuff guy out a road dem a rush and a lust,

But my little girl, she no love the mix up.

       B♭
Chorus 2   She don't let nobody,

She don't let nobody,
Gm
She don't let nobody,

She don't let nobody,
E♭
She don't let nobody,
           F
She don't let no - body,
        B♭
Nobody but me,

Nobody but me ya.

Verse 3   As Verse 1

Verse 4   As Verse 2

Interlude 2 Watch the ride,

    B♭
No guy out a road can beat a one night stand,

(Because) me an me woman we done made a run,

    Gm
(Come) all day rush all dem a lust,

Me a me girl man and I like me come first.

    E♭
The girl sweet, me tell ya say she fine,

       F
A only me alone can make her love light shine,

    B♭
The girl sweet, me tell ya say she fine,

A only me alone can make her love light shine,

Only me alone, deh pon me girl mind,

Only me alone, make her love light shine,

    Gm
Only me alone, deh pon me girl mind,

Only me alone, make her love light shine.

E♭
She don't let nobody,

    F
She don't let no - body,

   B♭
Nobody but me,

Nobody but me, ya.

Outro   ‖: As Chorus 2 :‖ *Repeat to fade*
Chorus

Sideshow

Words & Music by
Bobby Eli & Vinnie Barrett

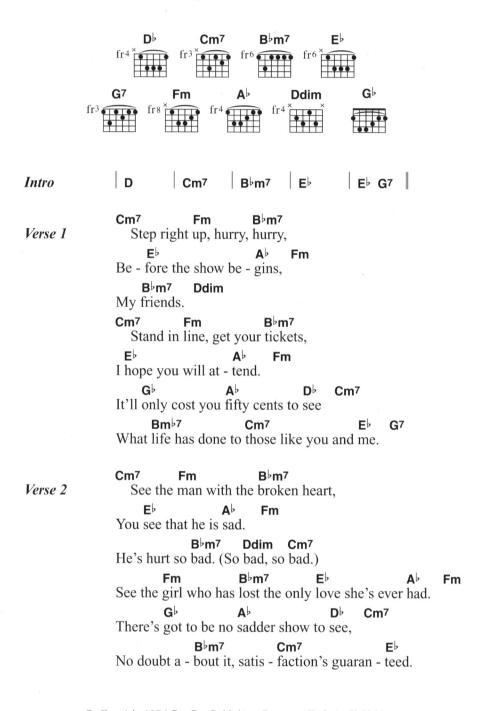

Intro | D | Cm7 | B♭m7 | E♭ | E♭ G7 ‖

Verse 1

Cm7   Fm B♭m7
 Step right up, hurry, hurry,
  E♭   A♭ Fm
Be - fore the show be - gins,
  B♭m7 Ddim
My friends.
Cm7   Fm   B♭m7
 Stand in line, get your tickets,
  E♭   A♭ Fm
I hope you will at - tend.
  G♭   A♭   D♭ Cm7
It'll only cost you fifty cents to see
  Bm♭7   Cm7   E♭ G7
What life has done to those like you and me.

Verse 2

Cm7   Fm   B♭m7
 See the man with the broken heart,
  E♭   A♭ Fm
You see that he is sad.
   B♭m7 Ddim Cm7
He's hurt so bad. (So bad, so bad.)
   Fm   B♭m7   E♭   A♭ Fm
See the girl who has lost the only love she's ever had.
   G♭   A♭   D♭ Cm7
There's got to be no sadder show to see,
   B♭m7   Cm7   E♭
No doubt a - bout it, satis - faction's guaran - teed.

Chorus 1

(E♭)   B♭m7   Cm7   B♭m7
So let the sideshow be - gin, hurry, hurry,

            Cm7
Step right on in.

B♭m7   A♭
Can't afford to pass it by,

B♭m7   E♭
Guaranteed to make you cry.

        B♭m7   Cm7   B♭m7
Let the sideshow be - gin, hurry, hurry,

            Cm7 B♭m7   A♭
Step right on in.   Can't afford to pass it by,

B♭m7   E♭   G7
Guaranteed to make you cry.

Verse 3

Cm7   Fm   B♭m7 E♭   A♭   Fm
See the man who's been cryin' for a million years,

      B♭m7 Ddim   Cm7
So many tears. (so many tears.)

     Fm   B♭m7   E♭   A♭   Fm
See the girl who's collect - ing broken hearts for souve - nirs.

  G♭   A♭   D♭   Cm7
It's more exciting than a one man band,

   B♭m7   Cm7   E♭
The saddest little show in all the land.

Chorus 2

(E♭)   B♭m7   Cm7   B♭m7
So let the sideshow be - gin, hurry, hurry,

            Cm7
Step right on in.

B♭m7   A♭
Can't afford to pass it by,

B♭m7   E♭
Guaranteed to make you cry.

        B♭m7   Cm7   B♭m7
Let the sideshow be - gin, hurry, hurry,

            Cm7 B♭m7   A♭
Step right on in.   Can't afford to pass it by,

B♭m7   E♭
Guaranteed to make you cry.

Instrumental

| B♭m7 | Cm7 | B♭m7 | Fm | |
| B♭m7 | Cm7 | B♭m7 | Fm | ‖

Chorus 3   As Chorus 1 *To fade*

Silly Games

Words & Music by
Dennis Bovell & John Myatt

F   Am   Am7♭5   B♭   B♭m   B♭/C
C   Gm   A♭   Cm   Dm   Fm7

Intro

| F | F | Am | Am |

| Am7♭5 | Am7♭5 | B♭ | B♭ |

| B♭m | B♭m | F | F |

| C11 | C11 | C | C |

Verse 1

F
   I've been wanting you,

Am   Am7♭5
   For so long, it's a shame.——

    B♭
Oh, baby,

          B♭m
Ev'ry time I hear your name.

F
   Oh, the pain,

B♭   Am Gm   F
Boy, how it hurts me inside.——

Verse 2

F
   'Cos ev'ry time we meet,

Am
   We play hide and seek,

Am7♭5   B♭
   I'm wondering what I should do.——

           B♭m
Should I, dear, come up to you,

         F
And say,—— "How do you do?"

B♭/C   C
   Wouldn't you turn me a - way?

Pre-chorus 1

A♭
You're as much to blame,

Cm
'Cos I know you feel the same,

C   Dm
I can see it in⸺ your eyes,

B♭   C   F   Dm
But I've got no time to live this love,

B♭   C
No, I've got no time to play your…

Chorus 1

     Fm⁷   B♭
Silly games,⸺

     Fm⁷   B♭
Silly games.⸺

Verse 3

F
Yet, in my mind I say,

Am
"If he makes his move today

Am⁷♭5   B♭
I'll just pretend to be shocked"

              B♭m
Oh, baby it's a tragedy,

F
That you hurt me,

B♭/C   C
We don't even try.⸺

Pre-chorus 2   As Pre-chorus 1

Chorus 2

         Fm⁷   B♭
‖: Silly games⸺

      Fm⁷   B♭
Silly games.⸺ :‖ *Repeat to fade*

Skylarking

Words & Music by
Horace Hinds

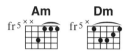

Intro

‖: **Am** | **Am** | **Am** | **Am** |
     Mmm,—   La la

| **Dm** | **Dm** | **Am** | **Am** :‖ *2° Vocal ad lib.*
 la,—   la da la la.—

Chorus 1

     Am
Sky - larking, skylarking,
         Dm   **Am**
That's what youth do to - day,
     Am
Sky - larking, skylarking,
              Dm   **Am**
Before they stand up firm on their feet.

Verse 1

     Am
Get a little work, a little work,
     Dm   **Am**
And earn their bread honest - ly,

Beggin' you a five cent, sir,

Beggin' you a ten cent, sir,
     Dm   **Am**
Cannot help, no, cannot help,

So if you all keep on doing what you all are doing,
     Dm   **Am**
You will end up, up, up in jail.

Link

‖: | Am | | Am | | Am | | Am | ‖
    Ooh, oh.—   Mm, mm.—

| Dm | | Dm | | Am | | Am | :‖ *2° Vocal ad lib.*
    Ooh.————————

Verse 2

        Am
Beggin' you a five cent, sir,

Beggin' you a ten cent, sir,
      Dm   **Am**
Cannot help, no, cannot help,

So if you all keep on doing what you all are doing,
      Dm   **Am**
You will end up, up, up in jail,
       Am
So if you all keep on doing what you all are doing,
      Dm   **Am**
You will end up, up, up in jail.

Verse 2

      Am
‖: Sky - larking, skylarking,
      Dm   **Am**
That's what youth do to - day,
     Am
Sky - larking, skylarking,
      Dm   **Am**
Before they stand up firm on their feet. Mmm.— :‖ *Repeat to fade*

Stir It Up

Words & Music by
Bob Marley

Intro ‖: A | D E | A | D E :‖

Chorus 1
```
A              D   E
Stir it up,  little darlin',
A              D     E
Stir it up, c'mon baby,  c'mon and
A              D   E
Stir it up,  little darlin'.
A              D  E
Stir it up.
```

Verse 1
```
                    A
It's been a long, long time
D      E              A     D  E
   Since I've got you on my mind.
         A                   D   E
And now you are here, I said it's so clear,
         A                  D
To see what we could do, baby,
          E
Just me and you, come on and
```

Chorus 2
```
A              D   E
Stir it up,  little darlin',
A                   D   E
Stir it up, c'mon baby,  c'mon and
A              D   E
Stir it up,  little darlin'.
A              D  E
Stir it up.
```

Verse 2

```
A                      D            E
I'll push the wood, then I'll raise your fire,
A              D            E
  Then I'll satisfy your  heart's desire.
A                 D        E
  I will stir it every,  every minute,
A
  All you've got to do, baby,
D          E
  Is keep it in it.
```

Chorus 3

```
A          D    E
Stir it up,  little darlin',
A                D    E
Stir it up, c'mon baby,  c'mon and
A          D    E
Stir it up,  little darlin'.
A          D  E
Stir it up.
```

Verse 3

```
A                D          E
  Quench me   when I'm thirsty,
A                   D  E
  Cool me down baby   when I'm hot,
A                   D      E
  Your recipe, darlin',  is so tasty
A                   D            E
  When you show   and stir your pot.
```

Chorus 4

```
A          D    E
Stir it up,  little darlin',
A                D    E
Stir it up, c'mon baby,  c'mon and
A          D    E
Stir it up,  little darlin'.
A          D  E
Stir it up.
```

Coda   ‖: A | D   E | A | D   E :‖ *Repeat ad lib.*

Chorus 5   ‖: As Chorus 4 :‖ *Repeat to fade*

157

Strange Things

Words & Music by
John Holt & Brian Atkinson

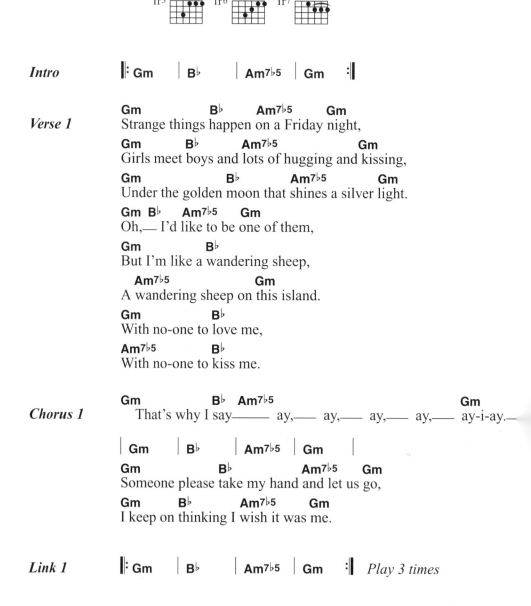

Intro
‖: Gm | B♭ | Am7♭5 | Gm :‖

Verse 1

Gm   B♭   Am7♭5   Gm
Strange things happen on a Friday night,

Gm   B♭   Am7♭5   Gm
Girls meet boys and lots of hugging and kissing,

Gm   B♭   Am7♭5   Gm
Under the golden moon that shines a silver light.

Gm B♭ Am7♭5   Gm
Oh,— I'd like to be one of them,

Gm   B♭
But I'm like a wandering sheep,

  Am7♭5   Gm
A wandering sheep on this island.

Gm   B♭
With no-one to love me,

Am7♭5   B♭
With no-one to kiss me.

Chorus 1

Gm   B♭ Am7♭5   Gm
   That's why I say——— ay,— ay,— ay,— ay,— ay-i-ay.—

| Gm | B♭ | Am7♭5 | Gm | |

Gm   B♭   Am7♭5   Gm
Someone please take my hand and let us go,

Gm   B♭   Am7♭5   Gm
I keep on thinking I wish it was me.

Link 1
‖: Gm | B♭ | Am7♭5 | Gm :‖ *Play 3 times*

Verse 2   As Verse 1

               Gm   **B♭** **Am7♭5**   **Gm**
Chorus 2   That's why I say—— ay,—— ay,—— ay,—— ay,—— ay-i-ay.——

                  ‖: **Gm** | **B♭** | **Am7♭5** | **Gm** :‖

Verse 3   As Verse 1

Chorus 3   As Chorus 1

Link 2   As Link 1

Verse 4   As Verse 1

Chorus 4   As Chorus 1

Outro   ‖: **Gm** | **B♭** | **Am7♭5** | **Gm** :‖ *Repeat with*
                                                                       ad lib. vocal to fade

Suzanne Beware Of The Devil

Words & Music by
Mulby Robert Thompson

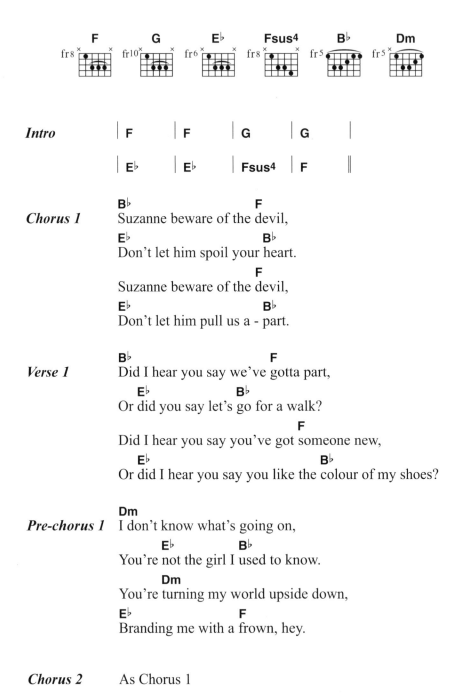

Intro | F | F | G | G |

| E♭ | E♭ | Fsus4 | F ‖

Chorus 1

B♭   F
Suzanne beware of the devil,
E♭   B♭
Don't let him spoil your heart.
                              F
Suzanne beware of the devil,
E♭   B♭
Don't let him pull us a - part.

Verse 1

B♭   F
Did I hear you say we've gotta part,
    E♭   B♭
Or did you say let's go for a walk?
                                    F
Did I hear you say you've got someone new,
    E♭   B♭
Or did I hear you say you like the colour of my shoes?

Pre-chorus 1

Dm
I don't know what's going on,
        E♭   B♭
You're not the girl I used to know.
        Dm
You're turning my world upside down,
E♭   F
Branding me with a frown, hey.

Chorus 2   As Chorus 1

Verse 2

B♭   F
Did I hear you say you're leaving town,
     E♭   B♭
Or did you say you're sticking around?
                             F
Did I hear you say you're serious,
     E♭   B♭
Or did you say it's all a bluff?

Pre-chorus 2

Dm
Why do you wanna change our dreams,
E♭   B♭
All the things we've planned and schemed?
Dm
Do you really wanna go,
   E♭   F
Or is it just an overnight throw, hey.

Chorus 3   As Chorus 1

Bridge

| F | F | G | G | |
| E♭ | E♭ | Fsus4 | F | |

Verse 3   As Verse 1

Pre-chorus 3   As Pre-chorus 1

Chorus 4

  B♭   F
‖: Suzanne beware of the devil,
E♭   B♭
Don't let him spoil your heart.
                         F
Suzanne beware of the devil,
E♭   B♭
Don't let him pull us a - part. :‖   *Repeat to fade*

Sweet And Dandy

Words & Music by
Frederick 'Toots' Hibbert

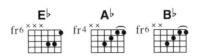

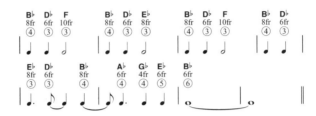

Intro

Verse 1

E♭
Yeah, Etty in the room a cry,

A♭
Mama say she must wipe her eye,

B♭
Papa say she no fi foolish,

Like she never been to school at all.

E♭
It is no wonder,

A♭
It's a perfect pander,

E♭   B♭   E♭
While they were dancing in that bar room last night.

Verse 2

E♭
Yeah, Johnson in the room afret,

A♭
Uncle say he must hold up his head,

B♭
Aunty say she no fi foolish,

Like a no time fi his wedding day.

cont.

      E♭
It is no wonder,

         A♭
It's a perfect pander,

         E♭   **B**♭   **E**♭
While they were dancing in that bar room last night.

Verse 3

   E♭
One pound ten for the wedding cake,

       A♭
Plenty bottle of cola wine,

         B♭
All the people them dress up in a white,

Fi go eat out Johnson wedding cake.

      E♭
It is no wonder,

        A♭
It's a perfect pander,

       E♭   **B**♭   **E**♭
While they were dancing in that bar room last night.

Verse 4   As Verse 1

Verse 5   As Verse 2

Verse 6   As Verse 3

Outro

   (E♭**)**   **B**♭
‖: Yeah, but they were sweet and dandy, sweet and dandy,

E♭
Sweet and dandy, sweet and dandy,

B♭
Sweet and dandy, sweet and dandy,

E♭
Sweet and dandy, sweet and dandy. :‖ *Repeat to fade*

Tenement Yard

Words & Music by
Roger Lewis & Jacob Miller

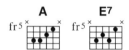

Intro   Drums | A | E⁷ | A | E⁷   ‖
                                                Right - o - o - oh,

Right-o-o-oh!—
    A   **E⁷**
Hear dem say— ah, ah, ah,
       A **E⁷**
Dreadlocks can't live in a tenement.

Chorus 1
  A   **E⁷**
Dreadlocks can't live in a tenement yard,
  A   **E⁷**
Dreadlocks can't live in a tenement yard,
     A   **E⁷**
Too much su-su su-su su-su, too much watchie watchie you,
     A   **E⁷**
Too much su-su su-su su-su, too much watchie what you are.

Chorus 2
  A   **E⁷**
Dreadlocks can't live in a tenement yard,
  A   **E⁷**
Dreadlocks can't live in a tenement yard,
     A   **A**
Too much su-su su-su su-su, too much watchie watchie you,
     A   **E⁷**
Too much su-su su-su su-su, too much watchie what you are.

Verse 1

A   E⁷
Dreadlocks can't live in privacy,

A   E⁷
Anything him do, old nyega see,

            A   E⁷
Too much watchie watchie watchie, too much su-su su-su su,

            A   E⁷
Too much watchie watchie watchie, too much su-su su-su su.

Verse 2

A   E⁷
Dreadlocks can't smoke him pipe in peace,

A   E⁷
Too much informers and too much fears,

            A   E⁷
Too much watchie watchie watchie, too much su-su su-su su,

            A   E⁷
Too much watchie watchie watchie, too much su-su su-su su.

Chorus 3

A   E⁷
Dreadlocks can't live in a tenement yard,

A   E⁷
Dreadlocks can't live in a tenement yard,

        A   E⁷
Can't penetrate in a tenement yard,

        A   E⁷
Can't penetrate in a tenement yard.

Link 1   ‖: A | E⁷   :‖   *Play 3 times*

Chorus 4

A   E⁷
Dreadlocks can't live in a tenement yard,

A   E⁷
Dreadlocks can't live in a tenement yard,

            A   E⁷
Too much su-su su-su su-su, too much watchie watchie what you are,

            A   E⁷
Too much su-su su-su su-su, too much watchie whatchie what you are.

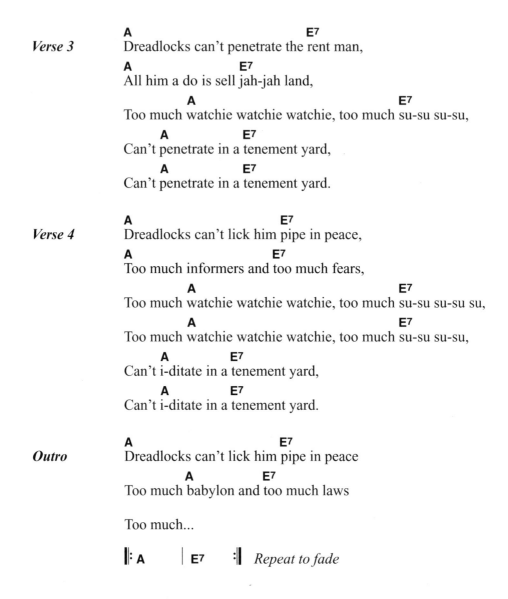

Verse 3

A   **E⁷**
Dreadlocks can't penetrate the rent man,

A   **E⁷**
All him a do is sell jah-jah land,

             A   **E⁷**
Too much watchie watchie watchie, too much su-su su-su,

          A   **E⁷**
Can't penetrate in a tenement yard,

          A   **E⁷**
Can't penetrate in a tenement yard.

Verse 4

A   **E⁷**
Dreadlocks can't lick him pipe in peace,

A   **E⁷**
Too much informers and too much fears,

             A   **E⁷**
Too much watchie watchie watchie, too much su-su su-su su,

             A   **E⁷**
Too much watchie watchie watchie, too much su-su su-su,

          A   **E⁷**
Can't i-ditate in a tenement yard,

         A   **E⁷**
Can't i-ditate in a tenement yard.

Outro

A   **E⁷**
Dreadlocks can't lick him pipe in peace

             A   **E⁷**
Too much babylon and too much laws

Too much...

‖: **A** | **E⁷**   :‖ *Repeat to fade*

Uptown Top Ranking

Words & Music by
Althea Forrest, Donna Reid, Joe Gibbs & Errol Thompson

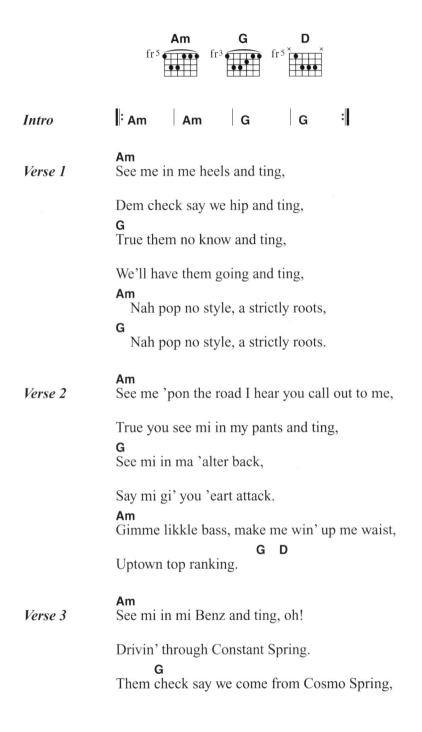

Intro ‖: Am | Am | G | G :‖

Verse 1
Am
See me in me heels and ting,

Dem check say we hip and ting,
G
True them no know and ting,

We'll have them going and ting,
Am
   Nah pop no style, a strictly roots,
G
   Nah pop no style, a strictly roots.

Verse 2
Am
See me 'pon the road I hear you call out to me,

True you see mi in my pants and ting,
G
See mi in ma 'alter back,

Say mi gi' you 'eart attack.
Am
Gimme likkle bass, make me win' up me waist,
          G   D
Uptown top ranking.

Verse 3
Am
See mi in mi Benz and ting, oh!

Drivin' through Constant Spring.
     G
Them check say we come from Cosmo Spring,

cont.　　　　　　But a true dem no know and ting,

　　　　　　　　　　　Am
　　　　　　　　Dem no know say we top ranking,

　　　　　　　　Uptown top ranking.

Link 1　　　　| **Am**　　| **Am**　　| **G**　　　| **G**　　　‖
　　　　　　　　　　　　　　　　　　　　　　　　(Shoulda)

　　　　　　　　　　　Am
Verse 4　　　　Shoulda see me and the ranking dread, oh!

　　　　　　　　Check how we jamming and ting,
　　　　　　　　G
　　　　　　　　Love is all I bring inna me khaki suit and ting.
　　　　　　　　Am
　　　　　　　　　Nah pop no style, a strictly roots,
　　　　　　　　G
　　　　　　　　　Nah pop no style, a strictly roots.

　　　　　　　　Am
Verse 5　　　　Watch how we chuck it and ting,

　　　　　　　　Inna we khaki suit and ting,
　　　　　　　　G
　　　　　　　　Love is all I bring inna me khaki suit and ting.
　　　　　　　　Am
　　　　　　　　　Nah pop no style, a strictly roots,
　　　　　　　　G
　　　　　　　　　Nah pop no style, a strictly roots.

Instrumental　| **Am**　　| **Am**　　| **Am**　　| **Am**　　|

　　　　　　　　| **G**　　| **G**　　| **G**　　| **G**　　|

　　　　　　　　| **Am**　　| **Am**　　| **Am**　　| **Am**　　|

　　　　　　　　| **Am**　　| **Am**　　| **G**　　| **G**　　‖
　　　　　　　　　　　　　　　　　　　　　　　　(The)

Verse 6

Am
The love inna you heart dis a bawl out fe me,

When you see me inna pants and ting, oh!
G
See me inna 'alter back,

Say me gi' you heart attack.
Am
Gimme likkle bass, make me win' up me waist,

Uptown top ranking oh!

Link 2 | Am | Am | G | G   ‖

Verse 7

Am
See mi 'pon the road an' hear you call out to me,

True you see me in me pants and ting oh!
G
See me inna 'alter back ,

Say me gi' you 'eart attack.
Am
Gimme likkle bass, make me win' up me waist,

Gimme likkle bass, make me win' up me waist,
G
Love is all I bring inna me khaki suit and ting.
Am
   Nah pop no style, a strictly roots,
G
   Nah pop no style, a strictly roots.

Verse 8

Am
You shoulda see me and the ranking dread, oh!

Check how we jamming and ting.
G   D
Love is all I bring inna me khaki suit and ting.
Am
   Nah pop no style, a strictly roots. *To Fade*

169

This Monday Morning Feeling

Words & Music by
Tito Simon

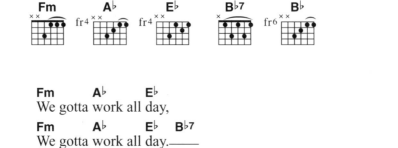

Intro

Fm   A♭   E♭
We gotta work all day,
Fm   A♭   E♭ B♭7
We gotta work all day.——

Verse 1

    E♭   A♭   E♭
This Monday morning feeling is driving me out of my mind,

(This Monday morning feeling, this Monday morning feeling).
    A♭   E♭
This Monday morning feeling really brings me down, I ain't ly - ing,

(This Monday morning feeling, this Monday morning feeling).
    B♭   A♭
But if I didn't work, Lord I wouldn't have a cent,
    B♭   A♭
To take care of my children, buy my food or pay my rent.
    B♭   A♭
The way things are expensive, can't afford to even rest,
         | E♭ A♭ | E♭ B♭ ‖
Whoah boy.

Verse 2

    E♭   A♭   E♭
This Monday morning feeling is driving me out of my mind,

(This Monday morning feeling, this Monday morning feeling).
    A♭
When Tuesday, Wednesday and Thursday's gone,
                        E♭
This lonely feeling seems to linger on.

(This Monday morning feeling, this Monday morning feeling),
    B♭   A♭
The best day out of all the week is Friday when you're paid.

cont.

   B♭   **A♭**
Sat'day you go shopping, Sunday you lay laid in bed,

      B♭   **A♭**
When Monday morning come again it makes you feel so sad,

            | **E♭** **A♭** | **E♭** **B♭** ‖
Whoah boy.

Sax solo.

| **E♭** | **A♭** | **E♭** | **E♭** |

| **A♭** | **A♭** | **E♭** | **E♭** |

| **B♭** | **A♭** | **B♭** | **A♭** |
Ooh,⎯ ooh,⎯ Ooh,⎯ ooh,⎯
| **E♭** **A♭** | **E♭** **B♭** ‖

Verse 3

     E♭   **A♭**   **E♭**
This Monday morning feeling is driving me out of my mind,

(This Monday morning feeling, this Monday morning feeling).

    A♭
When Tuesday, Wednesday and Thursday's gone,

                     E♭
This lonely feeling seems to linger on,

(This Monday morning feeling, this Monday morning feeling).

    B♭   **A♭**
The best day out of all the week is Friday when you're paid,

B♭   **A♭**
Sat'day you go shopping, Sunday you lay laid in bed,

      B♭   **A♭**
When Monday morning come again it makes you feel so sad,

            | **E♭** **A♭** | **E♭** **B♭** ‖
Whoah boy.

Outro

       E♭   **A♭**   **E♭**   **B♭**
I can't stand it,⎯ this lonely feeling,

    E♭ **A♭**   **E♭**   **B♭**
Oh, yeah⎯ I can't stand it,

       E♭ **A♭**   **E♭**   **B♭**
Whoah boy⎯ al - right,

          ‖: **E♭** **A♭** | **E♭** **B♭** :‖ *Repeat to fade*
This Monday   morning.

The Tide Is High

Words & Music by
John Holt, Howard Barrett & Tyrone Evans

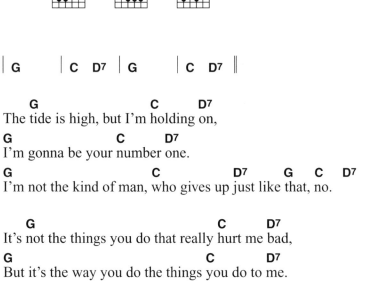

Intro | G | C D7 | G | C D7 ‖

Chorus 1
G   C   D7
The tide is high, but I'm holding on,
G   C   D7
I'm gonna be your number one.
G   C   D7   G   C   D7
I'm not the kind of man, who gives up just like that, no.

Verse 1
G   C   D7
It's not the things you do that really hurt me bad,
G   C   D7
But it's the way you do the things you do to me.
G   C   D7   G   C   D7
I'm not the kind of man who gives up just like that, no.

Chorus 2
G   C   D7
The tide is high, but I'm holding on,
G   C   D7
I'm gonna be your number one.
C   D7 C   D7
Number one, number one.

Verse 2
G   C   D7
Ev'ry man wants you to be his girl,
G   C D7
But I'll wait, my dear, till it's my turn.
G   C   D7   G   C   D7
I'm not the kind of man, who gives up just like that, no.

Instrumental | G | C D7 | G | C D7 |

                             | G | C D7 | G | C D7 ‖

Verse 3

```
G                        C      D7
Ev'ry man wants you to be his girl,
G                            C      D7
But I'll wait, my dear, till it's my turn.
G                     C            D7      G   C   D7
I'm not the kind of man, who gives up just like that, no.
```

Chorus 3

```
          G                  C      D7
‖: The tide is high, but I'm holding on,
G              C      D7
I'm gonna be your number one. :‖  Repeat to fade
```

Tradition

Words & Music by
Winston Rodney, Delroy Hines & Rupert Willington

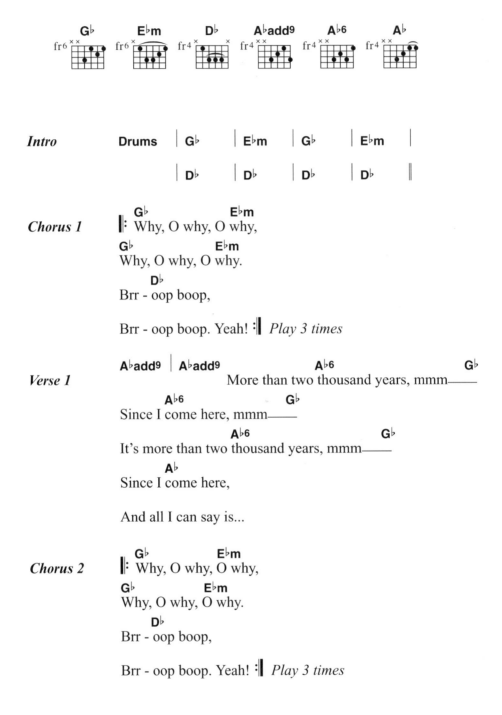

Intro   Drums | G♭ | E♭m | G♭ | E♭m |
| D♭ | D♭ | D♭ | D♭   ‖

Chorus 1
‖:   **G♭**   **E♭m**
Why, O why, O why,
  G♭   **E♭m**
Why, O why, O why.
      D♭
Brr - oop boop,

Brr - oop boop. Yeah! :‖ *Play 3 times*

Verse 1
A♭add9 | **A♭add9**   **A♭6**   **G♭**
                More than two thousand years, mmm——
       A♭6   **G♭**
Since I come here, mmm——
            A♭6   **G♭**
It's more than two thousand years, mmm——
     A♭
Since I come here,

And all I can say is...

Chorus 2
‖:   **G♭**   **E♭m**
Why, O why, O why,
  G♭   **E♭m**
Why, O why, O why.
      D♭
Brr - oop boop,

Brr - oop boop. Yeah! :‖ *Play 3 times*

Verse 2

    A♭add⁹ | A♭add⁹   A♭6
                        Using my brothers,

            G♭
Why, why, why, tell my why,

            A♭6
Brothers and sisters,

            G♭
Why, why, why, tell my why,

            A♭6
You using my brother, (brother),

            G♭
Why, why, why, tell my why,

            A6
Brothers and sisters you can hear them say...

Outro Chorus

    ‖: G♭   E♭m
    Why, O why, O why,

    G♭
Why, O why, O why, O my,

Brr - oop boop, do what you can, what you can,

Brr - oop boop, for I, an' I, an' I, an' I, an' I. :‖ *Repeat to fade*

175

Train To Skaville

Words & Music by
Leonard Dillon

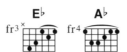

Intro   ‖ E♭　|　A♭　|　E♭　|　A♭　|
Train to Skaville

|　E♭　|　A♭　|　E♭　|　A♭　‖

Tune |　E♭　|　A♭　|　E♭　|　A♭　|

|　E♭　|　A♭　|　E♭　|　A♭　|

|　E♭　|　A♭　|　E♭　|　A♭　‖

Chorus 1

E♭　　　　A♭　E♭
Peep, peep,
A♭　　E♭　A♭　E♭　A♭
Train to Skaville.
E♭　　　　A♭　E♭
Peep, peep,
A♭　　E♭　A♭　E♭　A♭
Train to Skaville.
A♭　　E♭　A♭　E♭　A♭　E♭　A♭
Take your seat.

Tune |　E♭　|　A♭　|　E♭　|　A♭　|
Ad lib vocals

|　E♭　|　A♭　|　E♭　|　A♭　|

|　E♭　|　A♭　|　E♭　|　A♭　‖

Link 1 ‖: E♭ | A♭ | E♭ | A♭ :‖
Ad lib vocals

Chorus 2 | E♭ | A♭ | E♭ | A♭ |
Peep, peep.

| E♭ | A♭ | E♭ | A♭ |

| E♭ | A♭ | E♭ | A♭ |
Peep, peep.

| E♭ | A♭ | E♭ | A♭ | E♭ | A♭ |

Link 2 ‖: E♭ | A♭ | E♭ | A♭ | E♭ | A♭ :‖ *Play 3 times*
Ad lib vocals

Chorus 3 ‖: E♭ | A♭ | E♭ | A♭ | E♭ | A♭ :‖ *Repeat to fade*
peep, peep.

Wet Dream

Words & Music by
Max Romeo, Derrick Morgan & Edward Lee

F   B♭   A   G   C7

Intro

| F | B♭ | F | B♭ |

| F | B♭ | F | B♭ |

| F | B♭ | F | B♭ |

| F | B♭ | F | B♭ |

Verse 1

F   B♭   F   B♭
Ev'ry night me go to sleep, me have wet dream.
F   B♭   F   B♭
Ev'ry night me go to sleep, me have wet dream.

Chorus 1

F   B♭   F B♭
Lie down girl, let me push it up, push it up, lie down.
F   B♭   F B♭
Lie down girl, let me push it up, push it up, lie down.
F   B♭   F B♭
Lie down girl, let me push it up, push it up, lie down.
F   B♭   F B♭
Lie down girl, let me push it up, push it up, lie down.

Verse 2

F   B♭   F   B♭
You in your smart corner, I stand in mine.
F   B♭   F   B♭
Throw all the punch you want to, I can take them all.

Chorus 2

F   B♭   F B♭
Lie down girl, let me push it up, push it up, lie down.
F   B♭   F B♭
Lie down girl, let me push it up, push it up, lie down.

Organic solo ...

Organ solo		F		F		A		A		
		G		G		F		F		
		A		A		G		G		
		F		F		C7		C7		

Verse 3

F   B♭   F   B♭
Look how you're big and fat, like a big, big shot
F   B♭   F   B♭
You've the crumpet to big foot Joe, give the fanny to me.

Chorus 3

       F   B♭   F   B♭
‖: Lie down girl, let me push it up, push it up, lie down.
F   B♭   F   B♭
Lie down girl, let me push it up, push it up, lie down.
F   B♭   F   B♭
Lie down girl, let me push it up, push it up, lie down.
F   B♭   F   B♭
Lie down girl, let me push it up, push it up, lie down. :‖ *Repeat to fade*

What Is Life?

Words & Music by
Derrick Simpson

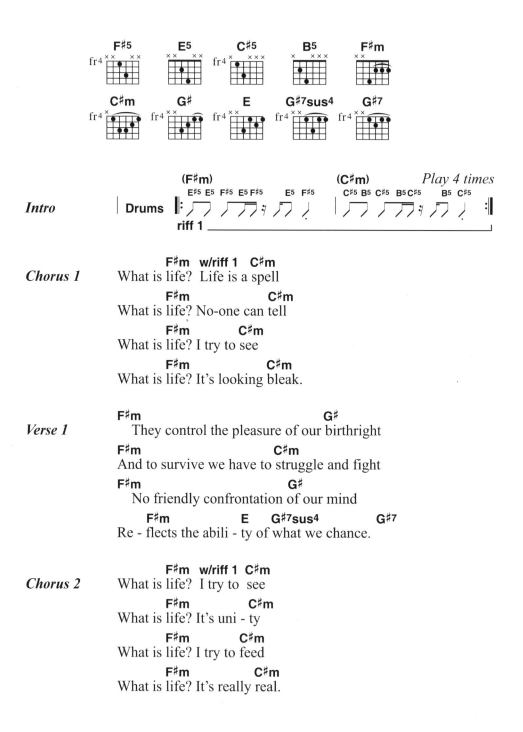

Intro

Drums riff 1 — *(F♯m)* ... *(C♯m)* ... *Play 4 times*

Chorus 1

     F♯m w/riff 1 C♯m
What is life? Life is a spell
     F♯m   C♯m
What is life? No-one can tell
     F♯m   C♯m
What is life? I try to see
     F♯m   C♯m
What is life? It's looking bleak.

Verse 1

F♯m   G♯
   They control the pleasure of our birthright
F♯m   C♯m
And to survive we have to struggle and fight
F♯m   G♯
   No friendly confrontation of our mind
   F♯m   E   G♯7sus4   G♯7
Re - flects the abili - ty of what we chance.

Chorus 2

     F♯m w/riff 1 C♯m
What is life? I try to see
     F♯m   C♯m
What is life? It's uni - ty
     F♯m   C♯m
What is life? I try to feed
     F♯m   C♯m
What is life? It's really real.

Verse 2

F♯m   G♯
   Ev'ryone says they're not ex - cited,

F♯m   C♯m
  While I've been young been ex - ploited.

F♯m   G♯
   African woman hold me close to my roots,

F♯m   E   G♯7sus4   G♯7
Help me to find, don't get separ - ated.

Chorus 3

                F♯m w/riff 1   C♯m
What is life? Life is a trick,

                F♯m   C♯m
What is life? Nothing but cheap.

                F♯m   C♯m
What is life? Life is a test,

                F♯m   C♯m
What is life? Sup'm to bless.

Link 1

‖: F♯m(w/riff 1) | C♯m | F♯m(w/riff 1) | C♯m   :‖

Verse 3   As Verse 1

Chorus 4

                F♯m w/riff 1 C♯m
What is life? I try to see,

                F♯m   C♯m
What is life? It's uni - ty,

                F♯m   C♯m
What is life? Life is a dream,

                F♯m   C♯m
What is life? Life is a dream.

Chorus 5

                F♯m w/riff 1 C♯m
What is life? Life is a spell,

                F♯m   C♯m
What is life? No-one can tell,

                F♯m   C♯m
What is life? I try to see,

                F♯m   C♯m
What is life? It's a mystery to me.

Outro

                F♯m w/riff 1   C♯m   F♯m   C♯m
What is life? What is life? What is life? What is life?

                F♯m   C♯m
What is life? Life is a treat. ‖: F♯m | C♯m   :‖ *Repeat ad lib.*

When The Night Feels My Song

Words & Music by
Jay Malinowski, Carl Pengelly & Eon Sinclair

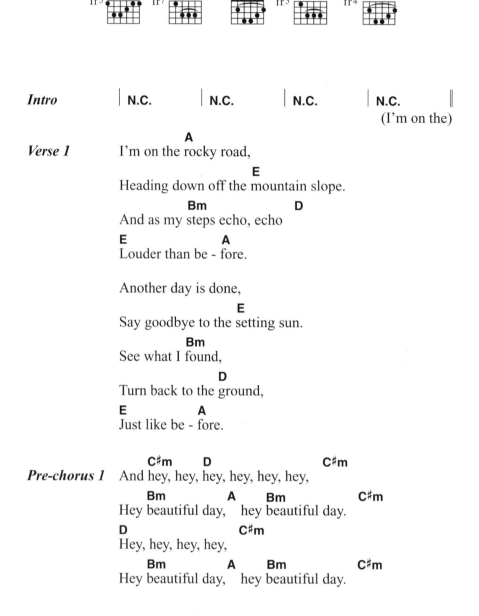

| A | E | Bm | D | C#m |

Intro | N.C. | N.C. | N.C. | N.C. ‖
(I'm on the)

Verse 1
                 A
I'm on the rocky road,

                           E
Heading down off the mountain slope.

          Bm   **D**
And as my steps echo, echo

E   **A**
Louder than be - fore.

Another day is done,

                    E
Say goodbye to the setting sun.

           Bm
See what I found,

            D
Turn back to the ground,

E   **A**
Just like be - fore.

Pre-chorus 1
       C#m   **D**   **C#m**
And hey, hey, hey, hey, hey, hey,

    Bm   **A**   **Bm**   **C#m**
Hey beautiful day,   hey beautiful day.

D   **C#m**
Hey, hey, hey, hey,

    Bm   **A**   **Bm**   **C#m**
Hey beautiful day,   hey beautiful day.

Chorus 1

```
          D      A   E        D    A
When the night    feels my song,
                  E      D     A
I'll be home,   I'll be home.
```

Verse 2

```
               A
Into the undergrowth,
                       E
Twist and turn on a lonely road.
             Bm
In the twi - light,
                   D
The day turns to night,
E          A
And I'm a - lone.
```

And when the light has left,

```
                    E
I'm not sure of my every step.
            Bm                 D
Follow the wind that pushes me west,
E          A
Back to my bed.
```

Pre-chorus 2   As Pre-chorus 1

Chorus 2

```
                  A    E                A
‖: When the night    feels my song,
                  E      D    A
I'll be home,   I'll be home.   :‖
```

Chorus 3

```
N.C.
When the night feels my song,
```

I'll be home, I'll be home.

Wild World

Words & Music by
Cat Stevens

Intro

| Am | | D/F♯ | G | C | |

(2°) Don't go,

| F | | Dm | E | E | |

Don't go,   please stay.

Verse 1

    Am   D/F♯   G
Now that I've lost everything to you,
                   C   F
You say you wanna start something new
       Dm   E
And it's breakin' my heart you're leavin',
           Esus4
Baby, I'm grievin'.
    Am   D/F♯   G
But if you wanna leave, take good care,
                     C   F
I hope you have a lot of nice things to wear,
           Dm   E   G
But then a lot of nice things turn bad out there.

Chorus 1

    C   G   F
Oh, baby, baby, it's a wild world,
  G   F   C   G
It's hard to get by just upon a smile, girl.
    C   G   F
Oh, baby, baby, it's a wild world,
  G   F   C   Dm E
I'll always remember you like a child, girl.

Verse 2

Am   D/F♯   G
    You know I've seen a lot of what the world can do

             C   F
And it's breakin' my heart in two

              Dm   E
Because I never wanna see you a sad girl,

              Esus4
Don't be a bad girl.

Am   D/F♯   G
    But if you wanna leave, take good care,

                     C   F
I hope you make a lot of nice friends out there,

              Dm   E   G
But just remember there's a lot of bad and beware.

Chorus 2   As Chorus 1

Solo

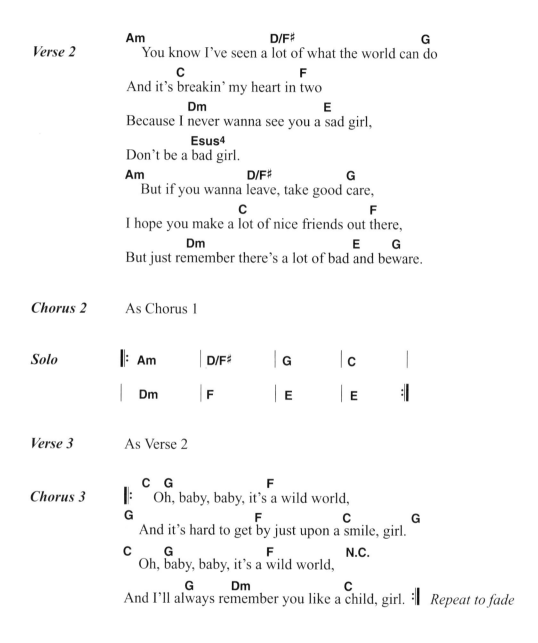

Verse 3   As Verse 2

Chorus 3

     C   G   F
    Oh, baby, baby, it's a wild world,

G   F   C   G
    And it's hard to get by just upon a smile, girl.

C   G   F   N.C.
    Oh, baby, baby, it's a wild world,

             G   Dm   C
And I'll always remember you like a child, girl. *Repeat to fade*

Wonderful World, Beautiful People

Words & Music by
Jimmy Cliff

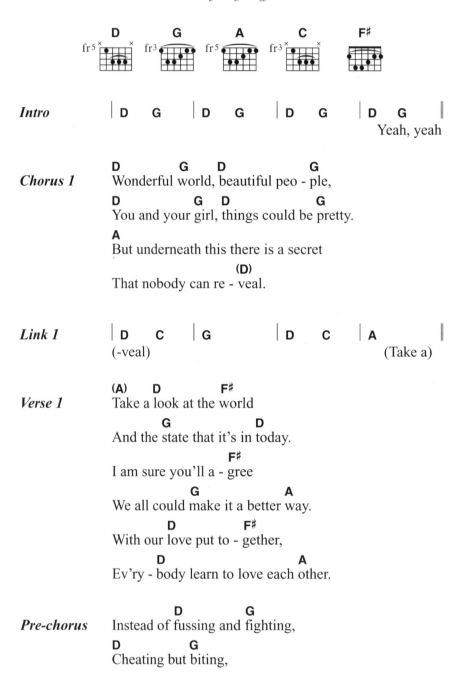

Intro
| D   G | D   G | D   G | D   G ‖

Yeah, yeah

Chorus 1

D   G   D   G
Wonderful world, beautiful peo - ple,

D   G D   G
You and your girl, things could be pretty.

A
But underneath this there is a secret

            (D)
That nobody can re - veal.

Link 1
| D   C | G | D   C | A ‖

(-veal)   (Take a)

Verse 1

(A) D   F♯
Take a look at the world

      G   D
And the state that it's in today.

            F♯
I am sure you'll a - gree

        G   A
We all could make it a better way.

      D   F♯
With our love put to - gether,

      D   A
Ev'ry - body learn to love each other.

Pre-chorus

         D   G
Instead of fussing and fighting,

D   G
Cheating but biting,

cont.

    D   G   A
Scandal - ising and hating.

Baby we could have a…

Chorus 2   As Chorus 1

Link 2   As Link 1

Verse 2

(A)   D   F♯
Man and woman, girl and boy,
        G   D
Let us try to give a helping hand.
                  F♯
This I know and I'm sure,
         G   A
That with love we all could under - stand.
           D   F♯
This is our   world, can't you see?
        G   A
Ev'ry - body wants to live and be free.

Pre-chorus 2

            D   G
Instead of fussing and fighting,
D   G
Cheating but biting,
D   G   A
Scandal - ising and hating.

Yeah, we could have a…

Chorus 3   As Chorus 1

Link 3   As Link 1

Outro

A
Talkin' 'bout the
    D   G   D   G
‖: Wonderful world, beautiful people,
D   G   D   G
You and your girl, things could be pretty. :‖ *Repeat to fade ad lib.*

You Can Get It If You Really Want

Words & Music by
Jimmy Cliff

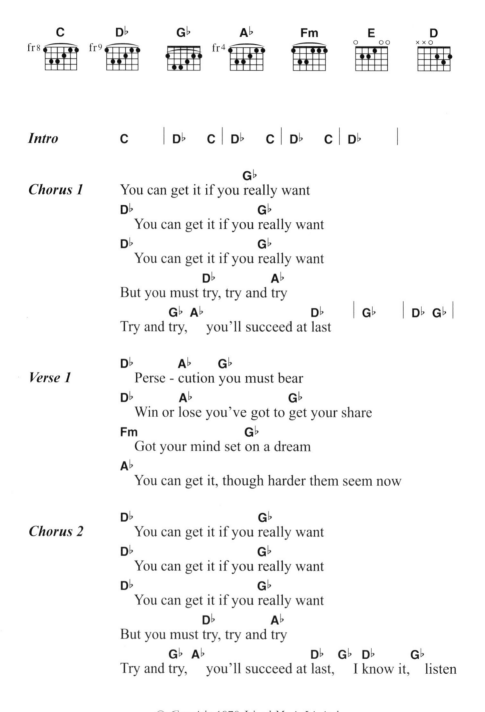

Intro   C | D♭ C | D♭ C | D♭ C | D♭ |

Chorus 1

                                          G♭
You can get it if you really want
D♭   G♭
 You can get it if you really want
D♭   G♭
 You can get it if you really want
                   D♭   A♭
But you must try, try and try
            G♭ A♭   D♭ | G♭ | D♭ G♭ |
Try and try,   you'll succeed at last

Verse 1

D♭   A♭   G♭
 Perse - cution you must bear
D♭   A♭   G♭
 Win or lose you've got to get your share
Fm   G♭
 Got your mind set on a dream
A♭
 You can get it, though harder them seem now

Chorus 2

D♭   G♭
 You can get it if you really want
D♭   G♭
 You can get it if you really want
D♭   G♭
 You can get it if you really want
                   D♭   A♭
But you must try, try and try
            G♭ A♭   D♭ G♭ D♭   G♭
Try and try,   you'll succeed at last,   I know it,   listen

Verse 2

D♭   A♭   G♭
Rome was not built in a day
D♭   A♭   G♭
Oppo - sition will come your way
Fm   G♭
But the hotter the battle you see
A♭
It's the sweeter the victory, now

Chorus 3

D♭   G♭
You can get it if you really want
D♭   G♭
You can get it if you really want
D♭   G♭
You can get it if you really want
            D♭   A♭
But you must try, try and try
      G♭ A♭   (D♭)
Try and try,   you'll succeed at last.

‖: D♭ | E | G♭ | A♭ G♭ E D :‖
(last)

Chorus 4

D♭   G♭
You can get it if you really want
D♭   G♭
You can get it if you really want
D♭   G♭
You can get it if you really want
            D♭   A♭
But you must try, try and try
      G♭ A♭   D♭ G♭ D♭
Try and try,   you'll succeed at last,   I know it.

Outro

   G♭   D♭
‖: Don't I show it
G♭   D♭
So don't give up now. :‖ *Repeat to fade*

Zion's Blood

Words & Music by
Lee 'Scratch' Perry

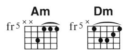

Intro | Drums ‖: Am | Am | Am | Am :‖
(2°) Mmm————————————

Chorus 1
Am
Zion blood is flowing through my veins,

So I an' I will never work in vain.

African blood is flowing through my veins,

So I an' I shall never fade away.

Verse 1
Dm
Woah,——— oh.——

Woah,——— oh.——

Chorus 2
Am
Zion blood is flowing through my veins

So I an' I will never work in vain.

African blood is flowing through my veins,

So I an' I shall never fade away.

Verse 2
Dm
Woah,——— oh.——

Woah,——— oh.——

| *Bridge 1* | ‖: Am | Am | Am | Am :‖ | *Play 4 times* |

Verse 3   Woah,———— oh.——

                  Woah,———— oh.——

Am
Chorus 3 Zion blood is flowing through my veins,

                  So I an' I will never work in vain.

                  African blood is flowing through my veins,

                  So I an' I shall never fade away.

Dm
Verse 4   Woah,———— oh.——

                  Woah,———— oh.——

Bridge 2   As Bridge 1 *To fade*

't Love Me (No, No, No)

Words & Music by
Willie Cobbs, Euwart Beckford & Duke Reid

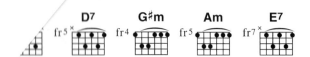

N.C.
We're in town to tell the people 'bout the million things coming your way.
D7♯9
Breaks.

Breaks.

B-B-B-Breaks.

Verse 1
       D7   **G♯m Am**
No, no, no, you don't love me and I   know now.
       D7   **G♯m Am**
No, no, no, you don't love me yes I   know now.
         E7   **D7**   **Am**
'Cos you left me, baby, and I've got no place to go now.

Link | **Am** | **Am**   ‖

Verse 2
       D7   **G♯m Am**
No, no, no, I'll do anything you   say boy.
       D7   **G♯m Am**
No, no, no, I'll do anything you   say boy.
         E7   **D7**   **Am**
'Cos if you ask me, baby,   I'll get on my knees and pray boy.

Instr. 1 | **D7** | **D7** | **D7** | **D7** | **Am** | **Am** | **Am** | **Am** |

         | **D7** | **D7** | **D7** | **D7** | **Am** | **Am** | **Am** | **Am** ‖

Verse 3
       D7   **Am**
No, no, no, you don't love me and I know now.
       D7   **Am**
No, no, no, you don't love me yes I know now. *To Fade*

1 2 3 4 5 6 7 8